Cymbwyd

Paned a Chacen

ELLIW GWAWR

Argraffiad cyntaf: 2012

© Hawlfraint Elliw Gwawr a'r Lolfa Cyf., 2012

*Mae hawlfraint ar gynnwys y llyfr hwn ac mae'n anghyfreithlon i
lungopïo neu atgynhyrchu unrhyw ran ohono trwy unrhyw ddull ac
at unrhyw bwrpas (ar wahân i adolygu) heb gytundeb
ysgrifenedig y cyhoeddwyr ymlaen llaw*

Dymuna'r cyhoeddwyr gydnabod cymorth ariannol
Cyngor Llyfrau Cymru

Llun y clawr: Warren Orchard
Lluniau mewnol: Warren Orchard ac Elliw Gwawr
Dylunio a darluniau: Dorry Spikes

Rhif Llyfr Rhyngwladol: 978 1 84771 525 8

Cyhoeddwyd ac argraffwyd yng Nghymru
ar bapur o goedwigoedd cynaladwy gan
Y Lolfa Cyf., Talybont, Ceredigion SY24 5HE
gwefan www.ylolfa.com
e-bost ylolfa@ylolfa.com
ffôn 01970 832 304
ffacs 832 782

Rhagair

Bu'r Cymry'n giamstars ar gacennau erioed: cofiaf yn y 60au am wragedd yr ardal hon yn creu cacennau o safon syfrdanol – a hynny i'w teuluoedd ac i gymuned fwy helaeth yn ystod amseroedd prysur yn y calendr amaethyddol fel cneifio a'r cynhaeaf gwair. Roedd pob teulu yn cael te: te yn y gegin ar ôl ysgol, te yn y parlwr ar ddydd Sul, te mewn basged yn cael ei gludo i'r caeau ar ddiwrnod poeth, a'r awyr yn felys efo hogla' gwair – ac roedd te bob tro'n golygu cacen: te Cymreig.

Roedd fy mam yn gogyddes o fri, ond pan fyddwn yn dod i ardal Dolgellau o Essex yn hogyn bach ar wyliau teuluol, byddai'n fy nharo bod cegin pob aelwyd fel ffatri gacennau, a sawl cymeriad wrth y llyw! Gallaf weld Mari Griffiths, Ynysgyffylog (a ddôi'n fam yng nghyfraith i mi un dydd), yn sbecian dros y sbectol ar ben ei thrwyn, yn ceisio darllen rysáit 'di sgriblo ar sgrap o bapur. Gallai Meiriona Roberts, fferm Arthog Hall, borthi dwsin mewn dim heb dorri chwys hyd yn oed. Manteisio ar y gorau o'r cynhwysion o'i gardd fyddai Dora Jones, Ty'n Celyn. Wedi imi droi'n bymtheg oed, roeddwn yn gweithio yn ystod gwyliau haf yr ysgol a'r coleg ac yn aros ar fy mhen fy hun ym mwthyn y teulu gyferbyn â hi. Mi fwydodd Dora fy nant

melys a byddai cacen neu bastai yn aros ar stepan y drws pan fyddwn yn dychwelyd adref ar ôl diwrnod hir ar y rheilffordd yn Fairbourne. Calon gynnes o ddynas oedd hon, yn teimlo dros grwt ifanc oedd ymhell o'i deulu. Cefais y rysáit bara brith dwi'n ei defnyddio hyd heddiw ganddi; 'di o byth cystal, a fydda i nefar yn rhagori ar ei chacen Dundee.

Cymuned fyrlymus Gymreig oedd hon, yn paratoi gwledd i ddigwyddiad lleol, sioe neu eisteddfod. Meddyliwch am garnifal Arthog, sy'n dal i ddilyn yr un drefn pob gŵyl banc Awst. Ar ôl y coroni a'r cystadlu roeddwn i'n aml fel hogyn yn un o'r gynulleidfa yn aros fy nhro i fynd i'r hen ysgol, yn barchus i gyd y tu ôl i'r frenhines a'i morwynion. Eisteddai'r frenhines a'r boneddigion wrth fwrdd yn sigo dan bwysau cacennau a danteithion, tra oedd y proletariat yn ffurfio llinell i ddewis o ddwsinau o blatiau bach: pob un yr un fath – ond yn wahanol. Dau driongl o frechdan: eog efallai, caws neu ham – a dwy gacen fach. Wedyn, cwpan tsieina a soser i'r te – dim mygs na phlastig ar gyfyl y lle. Dwi ddim yn credu iddyn nhw fethu bwydo unrhyw un, a dyna lle cewch chi gacennau cri a sbwnj Fictoria gyda'r gorau. Dyna gymuned, dyna fwyd go iawn.

Ni ddysgwyd nhw gan unrhyw goleg, na llyfrau lawer yn y dyddiau hynny. Dyma ysgol lle byddai geiriau yn mynd o law i law, o un genhedlaeth i'r nesaf, yn rhoi cyngor ar sut i newid dipyn bach, i addasu ac ychwanegu at gasgliad personol o ryseitiau, a hynny ar ben blas am fwyd da a'r awydd i faethu. Efallai mai'r traddodiad hwn a 'nghadwodd i yn yr ardal i agor bwyty Dylanwad Da ym 1988, a dyna lle cefais y pleser o gyfarfod teulu'r Siencyns: teulu Elliw Gwawr.

Roedd y teulu'n ffyddlon eu cefnogaeth i Dylanwad Da o'r dechrau. Ni chymerodd lawer o amser i Rhian, ei mam, sefydlu traddodiad blynyddol o gasglu sawl teulu ynghyd am ginio ar y Sul olaf cyn y Nadolig – 'I'r merched gael eistedd am chenj!' A dyma'n union yw pwrpas bwyty mewn cymuned i mi: i ddod â phobl at ei gilydd i fwynhau a chlosio o amgylch bwrdd llawn. Un tro roedd Elliw a'i chwaer, Annest, yn cludo platiau i'r gegin a chofiaf eiriau Rhian yn glir: 'Dyma ddwy weinyddes dda.'

Wel, y geirda gorau erioed! Roedd gan Elliw ddiddordeb mawr yng nghynnyrch y gegin ac roedd hi'n awyddus i brofi gwahanol fwydydd. Mawr fu'r golled yn y bwyty (ac yn y partïon staff) pan adawodd hi ar ôl gorffen yn y brifysgol. A rŵan dyma hi'n ysgrifennu llyfr a chyfrannu at ddiwylliant bwyd Cymru yn yr union fodd y byddwn i'n ei ddisgwyl gan ddynes *à la mode*: gyda'i blog a'i llyfr.

Dwi ddim am ei chymharu ag awduron llyfrau coginio Saesneg oherwydd does neb tebyg i Elliw! Ond mae'n meddu ar ddawn geiriau, peth prin yn eu mysg. Yn aml iawn mae cogyddion yn cyhoeddi llyfrau nad ydyn nhw prin wedi eu darllen, heb sôn am fynd i'r afael â gwraidd yr hyn maen nhw'n ei gyfathrebu. I'r darllenydd, mae hynny'n gadael bwlch rhwng yr awdur a'r gwaith. Nid felly yn y llyfr hwn: gwn i Elliw fod yn brysur yn pobi, cofnodi, arbrofi, newid a chywiro er mwyn cael y cyfuniad perffaith o lyfr deniadol, difyr a defnyddiol sy'n gynnyrch unigryw Elliw Gwawr.

Nid yw'n syndod i mi fod y ddynes fywiog, dalentog hon wedi llwyddo i greu llyfr gwerth ei gael a blas Cymreig arbennig iddo. Darllenwch, mwynhewch ac – yn bwysicaf oll – pobwch!

Dylan Rowlands

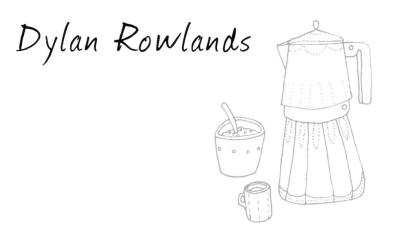

Perchennog a Chogydd Dylanwad Da
Hydref 2012

Cyflwyniad

Dwi ddim yn bobydd proffesiynol, dim ond rhywun sy'n mwynhau coginio. Ond dwi'n gobeithio y bydd hynny'n golygu bod y llyfr hwn yn un sy'n hawdd mynd ato, gyda ryseitiau sydd o fewn cyrraedd – yn ogystal â rhai sy'n tynnu dŵr o'r dannedd. Mae'r rhan fwyaf o'r ryseitiau'n reit syml, ond bydd eraill yn cynnig ychydig bach mwy o her, felly dwi'n gobeithio y bydd *Paned a Chacen* yn cynnig rhywbeth i bawb.

Fe ddechreuais i goginio gartref gyda fy mam a fy nain. Trwy lwc i mi, roedd Nain a Taid yn byw yn Nolgellau hefyd ac roedden ni'n ffodus iawn fel plant i'w gweld nhw'n ddyddiol. Roedd Mam a Dad yn gweithio, felly roedden ni un ai'n mynd atyn nhw ar ôl ysgol neu roedden nhw'n dod aton ni. Mae'n swnio fel *cliché* ond y gegin oedd canolbwynt ein cartref ni gan ei bod yn ddigon mawr i ddal pawb ar unwaith ac, yn aml iawn, roedd yn llawn o'n ffrindiau ni'n ogystal â theulu. A chan mai yno roedd y bwrdd bwyd, roedd o'n fwy na lle i goginio, roedd hi'n ystafell i fwyta a chymdeithasu hefyd.

Roedd Mam a Nain yn pobi drwy'r amser ac roeddwn i wrth fy modd yn eu helpu, a hynny o oedran ifanc iawn. Hyd yn oed bryd hynny, cacennau a phwdinau oedd yn mynd â fy mryd. Mae'n amlwg bod gen i ddant melys erioed!

Mae'r llyfr hwn yn llawn o'r ryseitiau dwi'n hoffi eu coginio fy hun: yn gacennau, bisgedi a phwdinau. Dwi wedi profi pob rysáit gartref yn fy nghegin i, fel y gallwch fod yn hyderus y byddwch chithau'n llwyddo yn eich cegin eich hun hefyd. Byddaf yn cynnig gwledd o gyngor ac yn ceisio esbonio rhai o'r camau y mae llyfrau coginio eraill fel arfer yn eu cymryd yn ganiataol.

Dwi wastad wedi credu bod pobi yn ffordd dda o ymlacio, a pha well ffordd o dreulio prynhawn na chreu cacen; i mi, mae'r broses yr un mor foddhaol â'r canlyniad.

Newyddiadura yw fy swydd 'go iawn', ac mae fy niwrnodau'n gallu bod yn brysur ac yn hir iawn. Felly ar y penwythnos dwi'n gwerthfawrogi llonyddwch a thawelwch y gegin am ychydig oriau tra byddaf yn coginio. Dwi hyd yn oed yn gyrru fy nghariad i'r ystafell arall nes fy mod wedi gorffen, ond mae o'n dod 'nôl yn ddigon sydyn pan mae'n arogli cacen yn dod allan o'r popty!

Er mai mwynhad oedd man cychwyn fy niddordeb, yn y blynyddoedd diwethaf dwi wedi dechrau magu agwedd ychydig bach yn fwy difrifol, gan geisio dysgu mwy ac arbrofi â ryseitiau newydd. O ganlyniad dechreuais sgwennu'r blog 'Paned a Chacen'. Doedd yna ddim blogiau pobi Cymraeg eraill yn bodoli ar y pryd ac fy mwriad oedd rhannu fy mhrofiadau yn y gegin, yn ogystal â darparu cyngor a ryseitiau. Mae'r ymateb wedi bod yn wych. Dwi'n gobeithio bod y llyfr hwn yn estyniad o'r blog, un y gallwch ei gadw ar silff yn y gegin, ac sy'n cynnig mwy o fy hoff ryseitiau.

Yr hyn dwi'n ei licio am bobi yw'r ffaith eich bod chi'n gallu creu rhywbeth sy'n edrych a blasu'n anhygoel o gynhwysion mor syml ag wyau, menyn, siwgr a blawd. Mae pobi'n wyddor ac mae angen bod yn fanwl iawn â'ch mesuriadau ond mae gweld cacen yn gweddnewid o gytew gwlyb i sbwnj ysgafn yn rhywbeth gwerth chweil.

Yn amlwg, dwi'n methu bwyta'r holl gacennau dwi'n eu coginio fy hun, felly dwi'n rhannu popeth dwi'n ei wneud â phobl eraill, boed yn deulu, ffrindiau neu gyd-weithwyr. Dwi'n mwynhau'r pleser mae eraill yn ei gael o'r hyn dwi'n ei goginio cymaint â dwi'n mwynhau creu a bwyta fy nghynnyrch fy hun. A, chwarae teg, maen nhw i gyd wedi bod yn fwy na pharod i flasu pob un o'r ryseitiau yn y llyfr hwn!

A nawr dwi am eu rhannu â chi gan obeithio y byddwch chithau'n cael pleser syml o'r coginio, y rhannu a'r gwledda. Cofiwch mai hwyl yw pobi i fod, felly beth amdani? Rhowch dro ar y llwy bren a mwynhewch!

Elliw Gwawr

Diolch

Mae yna lwyth o bobl i ddiolch iddyn nhw, ond mae'n well i mi ddechrau â'r bobl bwysicaf oll, sef fy nheulu. Maen nhw wedi bod yn gefn mawr wrth i mi sgwennu'r llyfr hwn, yn fy annog, fy ysbrydoli ac, wrth gwrs, fy helpu i fwyta'r cacennau.

Diolch i Dad yn benodol am fy nghefnogi beth bynnag dwi'n ei wneud, am brynu llestri te neis i mi ac am fwydo fy nibyniaeth ar gacs bach! Mae Annest, fy chwaer, wedi bod yn help mawr wrth feddwl am syniadau ar gyfer ryseitiau, tra bod rhaid i mi ganmol fy nith fach, Marged, am wneud y cacennau pili-pala sydd yn y llyfr. I Rhodri, fy mrawd, mae'r diolch fy mod wedi dechrau'r blog yn y lle cyntaf. Pwy feddyliai y byddai'n arwain at lyfr yn y pen draw! Ar ôl bron â bwyta crymbl riwbob cyfan ei hun, mae Lewys fy mrawd bach yn sicr wedi rhoi sêl ei fendith i'w hoff bwdin. Ac, wrth gwrs, mae'n rhaid i mi ddiolch i fy nghariad Johny sydd wastad wedi cefnogi'r holl bobi dwi'n ei wneud – sy'n fawr o syndod o feddwl ei fod o'n cael bwyta'r cacennau yn y pen draw. Dwi'n amau y bydd yn rhaid i ni'n dau fynd ar ddeiet nawr bod y llyfr wedi'i sgwennu. I Nain mae'r diolch fy mod i'n pobi o gwbl, ac mae hi wedi bod yn ofnadwy o glên dros y blynyddoedd yn rhannu ei llyfrau,

tuniau a llestri â mi, a hyd yn oed rhai o'r ryseitiau a welir yn y llyfr.

Mae nifer o bobl eraill wedi bod yn garedig iawn wrth gynnig ryseitiau. I deulu Johny yn Iwerddon mae'r diolch am y gacen Guinness anhygoel sydd yn y llyfr, yn ogystal â nifer o ryseitiau eraill. Mae'r ryseitiau ar gyfer *Semlor* a *Mazariner* wedi dod gan fy ffrind Pia Gräslund o Sweden, a diolch hefyd i Dylan a Llinos Rowlands o Dylanwad Da am roi caniatâd i mi gynnwys ryseitiau rhai o fy hoff bwdinau o'r bwyty.

Byddai wedi bod yn amhosib i mi fwyta'r holl gacennau a phwdinau yr wyf wedi'u gwneud ar gyfer y llyfr hwn fy hun, ond mae llawer iawn o bobl garedig wedi fy helpu: Esyllt, Math a'r plant a roddodd lety i mi yn gyfnewid am gacennau, genod Caerdydd sy'n mwynhau paned a chacen cymaint â fi a chriw uned wleidyddol y BBC sydd bellach yn disgwyl cacen gen i bob wythnos!

Diolch hefyd i bawb sydd wedi darllen a chefnogi'r blog, yn benodol Nia Peris o'r Lolfa a wnaeth gynnig y syniad o sgwennu llyfr ar ôl pori drwyddo. Diolch hefyd i bawb arall sydd wedi gweithio ar y llyfr: Meleri Wyn James am y golygu, Dorry Spikes am y dylunio a Warren Orchard am helpu gyda'r lluniau.

8

Cynhwysion

Dwi'n credu'n gryf y dylech chi ddefnyddio'r cynhwysion gorau y gallwch chi eu fforddio ac y dylai popeth fod mor ffres â phosib.

Paratowch eich cynhwysion i gyd cyn dechrau a gwnewch yn siŵr bod popeth ar dymheredd ystafell. Os nad yw'r rysáit yn nodi bod angen menyn oer, yna mae'n hollbwysig bod eich menyn yn feddal. Fel arall fe fydd yn anodd curo'r menyn a chael aer i mewn i'r gymysgedd. Os yw eich menyn yn rhy galed, torrwch o'n ddarnau a'i roi yn y micro-don am 10 eiliad.

Dwi fel arfer yn defnyddio menyn heb halen, ac yn ychwanegu halen os oes angen. Fel yna mae modd rheoli faint o halen yn union sydd yn y rysáit. Dwi ddim yn ffan o ddefnyddio margarîn mewn cacennau, mae menyn yn fwy blasus o lawer.

Pan fo rysáit yn galw am wyau, dwi wastad yn golygu wyau mawr. Os ydych chi'n defnyddio rhai llai fe all effeithio ar y rysáit. Fel popeth arall, mae angen i'r wyau fod ar dymheredd ystafell; a dweud y gwir, fydda i byth yn eu cadw yn yr oergell.

Gwnewch yn siŵr bod y powdr codi a'r soda pobi yn ffres. Peidiwch â defnyddio rhai sydd wedi bod yn eistedd yn y cwpwrdd am flwyddyn; fyddan nhw ddim mor effeithiol.

Defnyddiwch siwgr mân yn eich cacennau os nad yw'r rysáit yn dweud i'r gwrthwyneb – dydy siwgr cyffredin ddim cystal am gymysgu.

Os yn bosib, defnyddiwch rin fanila neu bast coden fanila yn y cacennau; dyna sy'n mynd i roi'r blas gorau iddyn nhw. Dydy safon nodd fanila ddim cystal, ac mae'n tueddu i roi blas ychydig yn artiffisial i'r cyfan.

Offer defnyddiol

Os ydych chi'n dechrau pobi am y tro cyntaf, yna does dim angen llawer o offer arnoch, ond wrth i'ch diddordeb mewn pobi ddatblygu fe fydd y rhestr yn tyfu a'ch casgliad o duniau gwahanol siâp yn cynyddu. Dyma restr o rai o'r offer sy'n mynd i wneud eich bywyd yn haws ac ychydig o gyngor ar sut i wneud y gorau ohonyn nhw.

1 **POPTY** – Mae'n amlwg bod y rhan fwyaf o'r ryseitiau yn mynd i alw am bopty. Ond mae'n bwysig cofio bod poptai pawb yn amrywio ac mai chi sy'n nabod eich popty eich hun orau, felly er fy mod i'n nodi amseroedd coginio yn y ryseitiau, defnyddiwch eich synnwyr cyffredin hefyd. Os ydy'r gacen yn edrych fel petai angen mwy o amser arni, yna gadewch hi yn y popty am ychydig funudau yn ychwanegol.

Mae'n wir i ddweud hefyd fod poptai pawb yn tueddu i fod yn boethach mewn un cornel, felly er mwyn sicrhau bod eich cacennau'n brownio'n hafal, trowch y tun tuag at ddiwedd yr amser coginio. Ond os ydych chi'n gwneud cacen, peidiwch BYTH ag agor y popty i sbecian nes i o leiaf ¾ o'r amser coginio fynd heibio. Os byddwch chi'n gwneud hynny, byddwch yn gadael aer oer i mewn ac yn amharu ar dymheredd y popty ac, felly, yn amharu ar allu'r gacen i godi.

Mae hefyd yn bwysig sicrhau bod y popty wedi cynhesu i'r tymheredd cywir cyn rhoi eich cacennau i mewn. Dyna pam mae'n syniad da rhoi'r popty ymlaen reit ar y cychwyn cyn dechrau rhoi trefn ar eich cynhwysion.

2 **CLORIAN** – Mae pobi yn wyddor; dydy o ddim yn fater o daflu pethau at ei gilydd fel petaech chi'n gwneud caseról. Felly mae'n hollbwysig eich bod chi'n pwyso'r cynhwysion yn ofalus. Dwi'n defnyddio clorian drydan am ei bod hi'n llawer mwy cywir ac yn fy ngalluogi i bwyso hylif hefyd, ond gyda gofal gall clorian gyffredin wneud y job yn iawn hefyd.

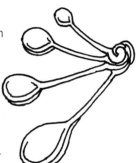

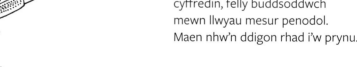

3 **GOGR/RHIDYLL** – Mae'n bwysig eich bod chi'n hidlo'r blawd er mwyn ychwanegu cymaint o aer â phosib i'r gymysgedd.

4 **LLWYAU MESUR** – Pan fo rysáit yn gofyn am lond llwy de o rywbeth, mae'n golygu llond llwy lefel sy'n mesur 5ml. Does yna ddim maint cyson i lwyau te na llwyau bwrdd cyffredin, felly buddsoddwch mewn llwyau mesur penodol. Maen nhw'n ddigon rhad i'w prynu.

5 **CYMYSGWR TRYDAN NEU CHWISG DRYDAN** – Os oes yna un peth sy'n mynd i wneud eich bywyd yn haws wrth bobi yna cymysgwr trydan neu chwisg drydan yw hwnnw. Mae'n hollbwysig ar gyfer cymysgu menyn a siwgr neu wrth wneud *meringue*. Byddai gwneud y pethau hyn â llaw yn waith caled! Does dim rhaid iddo fod yn un drud; mae chwisg law drydan rad yn ddefnyddiol iawn. Ond rhaid cyfaddef, dwi wrth fy modd gyda fy nghymysgwr bwrdd mawr. Mae'n gwneud ei waith yn wych ac yn haws i'w ddefnyddio, yn enwedig os ydych chi'n gwneud toes neu fara.

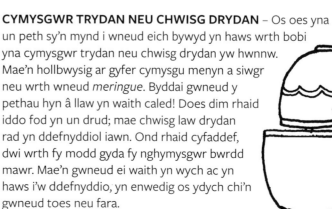

6 TUNIAU – Mae gen i doreth o duniau cacen ar gyfer pob achlysur dan haul. A dweud y gwir, mae fy nghypyrddau'n llawn ohonyn nhw! Ond peidiwch â phoeni, does dim rhaid i chi fod yn berchen ar gymaint â fi. Os ydych chi'n dechrau pobi, fe fyddwn i'n argymell eich bod yn prynu tun myffins 12 twll, tun torth 2lb, dau dun crwn 20cm a thun pobi hirsgwar. Wrth gwrs, gallwch ychwanegu at eich casgliad wrth i chi drio ryseitiau newydd.

7 SGIWER – Mae sgiwer yn handi er mwyn profi bod eich cacennau'n barod. Dylai sgiwer sy'n cael ei gosod yng nghanol cacen ddod allan yn lân os yw'r gacen wedi coginio'n iawn. Mae ffon goctel yn gwneud yr un gwaith.

10 PIN RHOLIO – Angenrheidiol os ydych yn gwneud toes neu fisgedi.

12 BAGIAU EISIO – Dwi'n gwybod nad yw'n beth da iawn i'r amgylchedd ond dwi'n defnyddio bagiau eisio plastig a'u taflu ar ôl gorffen â nhw. Pam? Wel, mae'n anodd golchi bag eisio yn iawn ac mae'n gwneud cymaint o lanast. Yn aml dwi'n defnyddio mwy nag un llond bag, felly mae'n haws defnyddio bag plastig newydd na cheisio golchi a sychu bag defnydd. Wrth gwrs, defnyddiwch fagiau defnydd os mai dyna sydd orau gennych chi.

8 PROSESYDD BWYD – Defnyddiol iawn i falu bisgedi'n friwsion neu dorri cnau yn fân. Mae rhai mawr hefyd yn wych ar gyfer gwneud toes, ond dim ond un bach sydd gen i ar hyn o bryd a dwi'n dod i ben yn iawn.

9 RHWYLL FETEL – Gadewch i'r cacennau oeri ar rwyll fetel, gan ei bod yn gadael i'r aer gylchdroi o gwmpas y gacen gyfan.

11 PYS SERAMIG – Os ydych chi'n mynd i goginio toes yn aml, yna byddai'n werth buddsoddi mewn pys seramig. Yn aml mae angen coginio dipyn bach ar y toes cyn ychwanegu'r llenwad ac, er mwyn sicrhau nad ydy'r toes yn codi gormod, mae'n rhaid defnyddio pys seramig i bwyso'r toes i lawr. Mae'n bosib defnyddio unrhyw bys neu ffa sych, ond mae pys seramig pwrpasol yn cario gwres yn dda ac yn sicrhau bod y toes yn coginio'n gytbwys.

13 TRWYN EISIO – Mae pob math o drwynau eisio gwahanol i'w cael ond os ydych chi'n mynd i brynu un ar gyfer eisio eich cacennau bach, yna prynwch un mawr siâp seren. Fe fydd yn gwneud i'ch cacennau edrych yn broffesiynol heb lawer o ymdrech.

Ryseitiau

Cacennau bach

Cacennau bach fanila 18
Cacennau bach lemon 20
Cacennau bach siocled 22
Cacennau bach Bakewell 24
Cacennau hufen iâ 26
Cacennau melfed coch 28
Cacennau moron iach 30
Cacennau piña colada 32
Cacennau siocled oren 34
Cacennau mintys a siocled 36

Bisgedi a phethau bychain

Bisgedi ceirch a rhesins 40
Bisgedi tri siocled 42
Bisgedi pistasio 43
Bisgedi malws melys 44
Brownies 46
Brownies siocled gwyn 47
Fflapjacs Mam 48
Sleisys almon a mafon 50

Toes

Profiteroles 54
Éclairs siocled 57
Tarten afal hawdd 58
Cwpan aur 60
Tarten lemon a siocled 62
Tarten ffrwythau Ffrengig 64
Tarten siocled a charamel hallt 66
Mazariner 68

Amser te

Cacen Fictoria 72
Sgons 74
Cacen afal sbeislyd 76
Hyni byns 78
Byns Chelsea 80
Cacen lemon a llus 82
Cacen oren, pistasio a pholenta 84
Cacen siocled foethus 86

Hen ffefrynnau

Bara brith Nain 90
Cacs bach Mam-gu 92
Cacen Guinness 94
Cacen ffrwythau ffwrdd-â-hi 96
Cacen ferwi Nain 97
Cacen foron 98
Cacen geirios lwyddiannus Nain 100

Pwdin

Cacen gaws riwbob a sinsir 104
Cacen gaws siocled gwyn a mafon 106
Crymbl riwbob 107
Kaiserschmarrn 108
Paflofa 110
Panacotta coconyt a chardamom 112
Jeli *rosé* 114
Semlor 116

Plant

Cacen ben-blwydd 120
Cacennau pili-pala 123
Tartenni jam 124
Dynion sinsir 126
Cacennau bach creision ŷd 127
Fflapjacs afal a syltanas 128
Lamingtons 129
Cacen siocled i'r oergell 130

Nadolig

Cacen Nadolig 134
Mins peis moethus 137
Roulade siocled 138
Bisgedi Nadolig 141
Hufen iâ pwdin 'Dolig 142

Geirfa

ceuled lemon: *lemon curd*
coconyt hufennog: *creamed coconut*
coconyt mân: *dessicated coconut*
eisin caled: *royal icing*
hidlo: *to sift*

llaeth enwyn: *buttermilk*
powdr codi: *baking powder*
rhin almon: *almond extract*
rhin fanila: *vanilla extract*
siwgr gronynnog: *granulated sugar*

siwgr mân: *caster sugar*
soda pobi: *bicarbonate of soda*
ysgeintio: *to sprinkle*

Cacennau bach

Dwi wrth fy modd gyda chacennau bach neu *cupcakes* (enw'r Americanwyr am *fairy cakes* sy'n dod yn fwy a mwy poblogaidd fan hyn). Maen nhw'n flasus dros ben, yn llawn hwyl ac ar gael ym mhob lliw a blas. Ond y peth gorau oll amdanyn nhw? Rydych chi'n cael cacen gyfan i chi'ch hun!

Mae'r ryseitiau hyn i gyd yn hawdd iawn i'w gwneud, ond mae gen i dipyn bach o gyngor fydd yn sicrhau eich bod chi'n cael y canlyniadau gorau posib bob tro.

Nawr, os ydych chi am sicrhau y bydd eich cacennau chi mor ysgafn â phosib, y peth pwysicaf i'w wneud yw curo'r siwgr a'r menyn am o leiaf 5 munud. Dwi'n gwybod bod hynny'n swnio fel amser hir, ond dyna sy'n rhoi'r aer yn y gymysgedd ac yn gwneud yn siŵr na fydd eich cacennau byth yn drwm eto. Yn y gorffennol roeddwn i'n credu bod munud neu ddau o guro yn hen ddigon. Ond na, mae angen curo'n llawer hirach nag y byddech chi'n dychmygu. Felly, mae chwisg drydan yn angenrheidiol, yn ogystal ag oriawr!

Mae'n bwysig hefyd bod eich cynhwysion ffres i gyd ar dymheredd ystafell cyn dechrau: hynny yw, y menyn, yr wyau a'r llaeth.

Mae'r ryseitiau yn y llyfr hwn yn gwneud rhyw 12 cacen fach, a hynny gan ddefnyddio cesys papur ar gyfer myffins. Mae'r cesys hyn ychydig yn fwy na chesys cacennau bach arferol a'r rheswm dwi'n defnyddio'r rhain yw fy mod i'n licio cymaint o gacen â phosib i fynd gyda'r pentwr o eisin ar ei phen.

Os ydych chi'n defnyddio cesys myffin yna mae'n rhaid defnyddio tun myffins hefyd, sydd rhyw ddwy fodfedd o ddyfnder. Dwi'n defnyddio cesys silicon neu rai metel; mae'r ddau'n gweithio'r un mor dda. Os ydych chi eisiau defnyddio cesys ychydig yn llai, fe fydd y gymysgedd yn amlwg yn gwneud mwy na 12 cacen felly cofiwch dynnu ychydig funudau oddi ar yr amser coginio.

Mae'r cacennau bach hyn i fod yn hwyl felly gallwch fynd yn wyllt gyda'r addurniadau. Mae yna gymaint o ddewis i'w gael y dyddiau hyn, hyd yn oed yn yr archfarchnad: defnyddiwch *sprinkles* lliw, *glitter* bwytadwy neu ddarnau siocled. Neu beth am wneud eich addurniadau eich hun drwy dorri siapiau allan o eisin ffondant? Defnyddiwch eich dychymyg!

Os ydych am liwio eich eisin defnyddiwch bast lliw, yn hytrach na'r lliwiau dyfrllyd rydych chi'n eu canfod yn yr archfarchnad. Maen nhw'n ddrutach, ond mae ychydig bach yn mynd yn bell iawn ac mae'r canlyniadau'n llawer gwell. Fe fydd y lliw'n gryfach a fydd y past ddim yn effeithio ar ansawdd eich eisin. Er nad ydyn nhw ar gael mewn archfarchnadoedd, mae'n bosib prynu'r rhain mewn siopau coginio, siopau crefftau neu ar-lein.

Sut i eisio Cacen fach

Does dim ots pa mor dda yw eich cacennau, yr un peth sy'n sicr o wneud iddyn nhw edrych yn broffesiynol yw'r eisio. A dydy o ddim yn anodd, dim ond i chi ymarfer dipyn bach.

Wrth wneud yr eisin ei hun, cymysgwch y cynhwysion yn araf i ddechrau gan fod siwgr eisin yn gallu mynd i bobman.

Weithiau dwi'n eisio gyda llaw ac ar adegau eraill dwi'n defnyddio bag eisin. Mae'r ddau'n edrych yn grêt ac mae'n dibynnu'n llwyr pa fath o hwyl dwi ynddo a sut dwi eisiau i'r gacen edrych.

OS YDYCH CHI'N EISIO Â LLAW yr unig beth sydd ei angen arnoch yw cyllell balet. Dechreuwch drwy osod tomen reit fawr o eisin ar ben eich cacen (peidiwch â bod ofn achos fe fyddwch yn tynnu tipyn oddi arni). Yna rhedwch y gyllell o gwmpas ochr y gacen ar ongl o ryw 45° i greu ochr lefn. Wedyn, gyda blaen eich cyllell wedi'i hanelu tuag at ganol y gacen, trowch y gyllell o gwmpas mewn cylch, i greu siâp troellog yng nghanol yr eisin.

1   *2*   *3*

Fel gyda phopeth, arfer yw mam pob meistrolaeth. Felly peidiwch â bod ofn tynnu'r eisin i ffwrdd a dechrau eto os nad yw'r gacen yn edrych fel y byddech chi'n dymuno.

ER MWYN PEIPIO EICH EISIN mae angen dau beth – bag eisin (dwi'n defnyddio rhai plastig y gallwch eu taflu, sy'n llai o lanast na gorfod golchi un defnydd bob tro) a thrwyn eisio – un seren dwi'n ei ddefnyddio i gael yr effaith orau.

1

Torrwch rhyw fodfedd oddi ar waelod y bag a gosodwch y trwyn eisio yn y bag fel ei fod yn sticio allan trwy'r twll. Yna, gan ddal gwaelod y bag yn un llaw, plygwch yr ochrau i lawr o amgylch y llaw honno.

3

Mae yna ddwy brif ffordd o eisio cacen fach â bag. Os ydych chi'n eisio o'r tu allan tua'r canol fe gewch chi effaith yn debyg i hufen iâ. Ond os ydych chi'n peipio o'r canol i'r tu allan fe fydd yr eisin yn edrych yn debyg i rosyn.

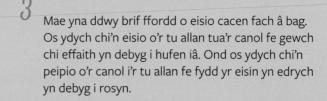

2

Nawr rhowch yr eisin i mewn, un llwyaid ar y tro, gan ei wasgu i lawr yn ofalus bob tro. Gwnewch yn siŵr nad ydych chi'n gorlenwi'r bag neu fe fydd yr eisin yn dod allan o'r ddau ben! Gafaelwch ym mhen agored y bag a'i droi nes ei fod wedi cau'n dynn ac nad oes swigod aer i'w gweld yn yr eisin.

4

Does dim ots pa ffordd y dewiswch chi eisio, bydd angen dal y bag eisio yn un llaw gan droi top y bag rhwng eich bys bawd a'ch bys cyntaf er mwyn ei gau. Yna, gan ddefnyddio'r llaw arall i sefydlogi'r bag, gosodwch y bag rhyw gentimetr uwchben y gacen a gwasgwch dop y bag (dim y gwaelod), gan symud o gwmpas y gacen mewn un symudiad llyfn. Gorffennwch drwy dynnu'r bag i fyny'n gyflym a stopio gwasgu.

Cacennau bach fanila

Mae'r rhain yn blasu'n hyfryd, yn ysgafn iawn, ac mae'r rysáit yn gweithio'n berffaith bob tro. Gan fod hon yn gacen reit syml, mae'n rhoi rhwydd hynt i chi gael sbort gyda'r addurniadau. Gallwch liwio'r eisin neu ei adael yn wyn a'i addurno gyda siocled, addurniadau lliwgar neu *glitter* bwytadwy. Defnyddiwch eich dychymyg.

100g o flawd codi
80g o flawd plaen
125g o fenyn
225g o siwgr mân
2 wy
120ml o laeth
1 llwy de o rin fanila

Eisin menyn fanila
125g o fenyn
225g o siwgr eisin
½ llwy de o rin fanila
3 llwy fwrdd o laeth

Cynheswch y popty i 180°C / Ffan 160°C / Nwy 4 a rhoi 12 cês myffin yn y tun.

Gan ddefnyddio chwisg drydan, cymysgwch y menyn am 3 munud.

Nawr ychwanegwch y siwgr ychydig ar y tro, gan barhau i gymysgu. Yna cymysgwch am 4–5 munud arall. Fe fyddwch chi'n sylwi ar y gwahaniaeth yn lliw'r gymysgedd erbyn y diwedd ac fe ddylai edrych yn olau a theimlo'n ysgafn. Yna ychwanegwch yr wyau, un ar y tro, gan gymysgu pob un yn drwyadl gyda'r chwisg.

Cymysgwch y ddau flawd a'u rhoi i un ochr. Ychwanegwch y fanila at y llaeth a'i droi â llwy. Hidlwch ⅓ o'r blawd ar ben y gymysgedd menyn a siwgr a chymysgu'n ofalus â llwy; gofalwch beidio â gorgymysgu. Ychwanegwch ⅓ o'r llaeth a fanila at y cyfan a chymysgu eto â llwy. Gwnewch hyn ddwywaith eto nes bod y cyfan wedi cymysgu'n dda.

Nawr llenwch y cesys nes eu bod nhw'n ⅔ llawn.

Coginiwch y cacennau am 20–25 munud. Dwi'n tueddu i droi'r tun rhyw 5 munud cyn i'r amser ddod i ben i sicrhau nad yw un ochr yn brownio cyn y llall. Fe fydd y cacennau'n barod pan fyddan nhw wedi dechrau brownio ar y top a sgiwer yn dod allan yn lân.

Gadewch iddyn nhw oeri am 2 funud yn y tun, yna rhoi'r cacennau ar rwyll fetel i oeri'n llwyr.

Addurnwch â thomen o eisin menyn. Defnyddiwch gyllell balet fflat neu fag eisio.

Dyma'r rysáit ar gyfer eisin menyn fanila. Unwaith eto, mae angen llawer o gymysgu, ond mae'n werth yr ymdrech!

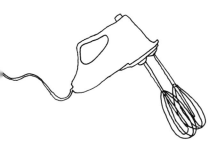

Er mwyn gwneud yr eisin, gwnewch yn siŵr bod y menyn ar dymheredd ystafell. Curwch y menyn am funud â chwisg drydan, yna ychwanegwch y llaeth, y fanila a hanner y siwgr eisin a chymysgu. Yna ychwanegwch weddill y siwgr eisin a chymysgu am 4 munud i sicrhau bod eich eisin menyn yn ysgafn iawn. Ychwanegwch bast lliw i liwio'r eisin. Ond does dim rhaid ei liwio; gallwch ddefnyddio addurniadau i roi tipyn bach o liw.

Cacennau bach lemon

Dwi'n caru unrhyw fath o gacen lemon, a dwi'n meddwl bod hynny'n amlwg o'r cacennau bach hyn. Mae yna lawer iawn o lemon ynddyn nhw – yr ateb perffaith os ydy cacennau bach yn rhy felys i'ch dant chi fel arfer. Dwi wedi cuddio ychydig o geuled lemon yn y canol – syrpréis neis pan fyddwch chi'n eu brathu am y tro cyntaf.

100g o flawd codi
80g o flawd plaen
125g o fenyn
210g o siwgr mân
2 wy
120ml o laeth
Croen 1 lemon
wedi'i gratio'n fân
12 llwy de
o geuled lemon

Eisin lemon
125g o fenyn
250g o siwgr eisin
3 llwy fwrdd o laeth
Sudd 1 lemon

Defnyddiwch y ceuled lemon gorau bosib, un sy'n sur ond eto'n felys ar yr un pryd.

Cynheswch y popty i 180°C / Ffan 160°C / Nwy 4 a rhoi 12 cês myffin yn y tun.

Gan ddefnyddio chwisg drydan, cymysgwch y menyn am 3 munud.

Nawr ychwanegwch y siwgr ychydig ar y tro, gan gario ymlaen i gymysgu â'r chwisg. Yna cymysgwch am 4–5 munud arall. Fe fyddwch chi'n sylwi ar y gwahaniaeth yn lliw'r gymysgedd erbyn y diwedd ac fe ddylai edrych yn olau a theimlo'n ysgafn. Yna ychwanegwch yr wyau, un ar y tro, gan gymysgu pob un yn drwyadl â'r chwisg drydan.

Cymysgwch y ddau flawd a'i roi i un ochr, a mesur y llaeth. Hidlwch ⅓ o'r blawd ar ben y gymysgedd menyn a siwgr a chymysgu'n ofalus â llwy; gofalwch beidio â gorgymysgu. Ychwanegwch ⅓ o'r llaeth at y cyfan a chymysgu â llwy. Gwnewch hyn ddwywaith eto nes bod y blawd a'r llaeth wedi mynd i gyd. Ychwanegwch y croen lemon wedi'i gratio a chymysgu unwaith yn rhagor â llwy.

Llenwch y cesys nes eu bod nhw'n ⅔ llawn.

Coginiwch am 20–25 munud. Fe fydd y cacennau'n barod pan fyddan nhw wedi dechrau brownio ar y top a sgiwer yn dod allan yn lân.

Gadewch iddyn nhw oeri am ryw 2 funud yn y tun, yna rhoi'r cacennau ar rwyll fetel i oeri'n llwyr.

Unwaith y bydd y cacennau wedi oeri, torrwch dwll yng nghanol pob un. Dwi wedi canfod mai'r ffordd orau o wneud hyn yw trwy ddefnyddio teclyn i dynnu'r canol allan o afal. Llenwch y twll â llwyaid o geuled lemon.

Er mwyn gwneud yr eisin, curwch y menyn am ryw funud â chwisg drydan, yna ychwanegu'r llaeth, y sudd lemon a hanner y siwgr eisin a chymysgu. Yna ychwanegwch weddill y siwgr eisin a chymysgu am 4 munud arall. Addurnwch y cacennau â'r eisin gan orffen ag ychydig bach o groen lemon wedi'i gratio ar eu pennau.

Cacennau bach Siocled

Os ydych chi'n hoffi siocled fe fyddwch chi'n hoffi rhain! Mae gan y cacennau bach siocled hyn ddarnau o siocled wedi'u gwasgaru trwyddyn nhw, ac os nad yw hynny'n ddigon i chi, mae yna domen o eisin menyn siocled am eu pennau hefyd.

100g o flawd codi
40g o flawd plaen
40g o bowdr coco
125g o fenyn
225g o siwgr mân
2 wy
120ml o laeth
1 llwy de o rin fanila
40g o ddarnau siocled
llaeth neu siocled tywyll

Eisin siocled
125g o fenyn
225g o siwgr eisin
40g o bowdr coco
4 llwy fwrdd o laeth

Mae cesys papur brown yn edrych lawer gwell na rhai gwyn.

Cynheswch y popty i 180°C / Ffan 160°C / Nwy 4 a rhoi 12 cês myffin yn y tun.

Gan ddefnyddio chwisg drydan, cymysgwch y menyn am 3 munud.

Nawr ychwanegwch y siwgr ychydig ar y tro, gan gario ymlaen i gymysgu â'r chwisg. Yna cymysgwch am 4–5 munud arall. Fe fyddwch chi'n sylwi ar y gwahaniaeth yn lliw'r gymysgedd erbyn y diwedd ac fe ddylai edrych yn olau a theimlo'n ysgafn. Yna ychwanegwch yr wyau, un ar y tro, gan gymysgu pob un yn drwyadl â chwisg drydan.

Nawr cymysgwch y ddau flawd a'r powdr coco a'u rhoi i un ochr. Cymysgwch y fanila a'r llaeth. Hidlwch ⅓ o'r blawd a'r coco ar ben y gymysgedd menyn a siwgr a'u cymysgu'n ofalus â llwy. Gofalwch beidio â gorgymysgu. Yna ychwanegwch ⅓ o'r llaeth a fanila a chymysgu eto â llwy. Gwnewch hyn ddwywaith eto nes bod y cyfan wedi cymysgu'n dda. Ychwanegwch y darnau siocled a'u cymysgu'n ofalus â llwy.

Llenwch y cesys nes eu bod nhw'n ⅔ llawn.

Coginiwch am 20–25 munud. Fe fydd y cacennau'n barod pan fyddan nhw wedi dechrau brownio ar y top a sgiwer yn dod allan yn lân.

Gadewch iddyn nhw oeri am ryw 2 funud yn y tun, yna rhoi'r cacennau ar rwyll fetel i oeri'n llwyr.

Er mwyn gwneud yr eisin, curwch y menyn am ryw funud â chwisg drydan, yna ychwanegu'r llaeth, y powdr coco a hanner y siwgr eisin a chymysgu. Yna ychwanegwch weddill y siwgr eisin a chymysgu am 4 munud arall.

Cacennau bach Bakewell

Mae tarten Bakewell yn fy atgoffa o de prynhawn pan oeddwn i'n fach. Roeddwn i'n bwyta'r crwst a'r gacen gyntaf a chadw'r eisin a'r ceirios tan y diwedd! Allan o baced roedden ni'n eu bwyta bryd hynny, ond maen nhw wedi fy ysbrydoli i greu fy fersiwn fy hun. Dwi'n eu mwynhau gyda phaned o de hyd heddiw, ond dwi ddim yn cadw'r eisin tan y diwedd y dyddiau hyn!

150g o fenyn
150g o siwgr mân
3 wy
80g o flawd codi
80g o almonau mâl
½ llwy de o bowdr codi
1 llwy fwrdd o laeth
1 llwy de o rin almon
Eisin menyn fanila
(gweler y rysáit Cacennau bach fanila, t. 18)
12 llwy de o jam mafon
6 o geirios *glacé*
wedi'u torri'n hanner
Almonau wedi'u sleisio

Cynheswch y popty i dymheredd o 190°C / Ffan 170°C / Nwy 5 a rhoi 12 cês myffin yn y tun.

Curwch y menyn am ychydig funudau â chwisg drydan, yna ychwanegu'r siwgr mân a'i guro am 5 munud arall.

Ychwanegwch yr wyau un ar y tro, gan gymysgu pob un yn drwyadl â'r chwisg drydan. Gallwch ychwanegu llwyaid o'r blawd rhwng pob un er mwyn stopio'r gymysgedd rhag ceulo. Hidlwch y blawd a'r powdr codi i mewn i'r gymysgedd ac ychwanegu'r almonau mâl. Cymysgwch yn ofalus â llwy. Ychwanegwch y llaeth a'r rhin almon a chymysgu eto â llwy.

Llenwch y cesys nes eu bod nhw'n ⅔ llawn. Pobwch am 20 munud, neu nes bod y cacennau'n euraidd frown ac yn teimlo'n gadarn.

Gadewch y cacennau i oeri yn y tun am ychydig funudau, cyn eu rhoi ar rwyll i oeri'n llwyr.

Ar ôl iddyn nhw oeri, tynnwch y canol o'r gacen, un ai gan ddefnyddio cyllell neu â theclyn i dynnu'r canol allan o afal. Llenwch y twll â llond llwy de o jam mafon nes ei fod yn lefel â'r gacen. Peipiwch yr eisin menyn am ben bob cacen a'u haddurno â hanner ceiriosen ac ychydig o almonau wedi'u sleisio.

Cacennau hufen iâ

Mae'r cacennau bach hyn yn edrych ac yn blasu fel hufen iâ 99 traddodiadol. Sbwnj fanila syml yw'r sail ond mae yna syrpréis bach yn y canol ac, wrth gwrs, mae angen siocled a saws mafon ar bob hufen iâ gwerth chweil. Y peth da am y rhain yw nad oes rhaid i chi aros am dywydd braf cyn eu bwyta.

100g o flawd codi
80g o flawd plaen
125g o fenyn
225g o siwgr mân
2 wy
120ml o laeth
12 llwy de o jam mafon
Eisin menyn fanila (gweler y rysáit Cacennau bach fanila, t. 18)
6 Flake siocled wedi'u torri'n hanner
Saws mafon (prynwch un parod o'r siop, neu gwnewch un eich hun trwy falu mafon ffres ag ychydig o siwgr eisin)

Defnyddiwch drwyn eisio siâp seren ar y bag eisin er mwyn gwneud i'r rhain edrych fel hufen iâ.

Cynheswch y popty i 180°C / Ffan 160°C / Nwy 4 a rhoi 12 cês myffin yn y tun.

Gan ddefnyddio chwisg drydan, cymysgwch y menyn am 3 munud.

Nawr ychwanegwch y siwgr ychydig ar y tro, gan gario ymlaen i gymysgu â'r chwisg. Yna cymysgwch am 4–5 munud arall. Fe fyddwch chi'n sylwi ar y gwahaniaeth yn lliw'r gymysgedd erbyn y diwedd ac fe ddylai edrych yn olau a theimlo'n ysgafn. Yna ychwanegwch yr wyau, un ar y tro, gan gymysgu pob un yn drwyadl â'r chwisg drydan.

Nawr cymysgwch y ddau flawd a'u rhoi i un ochr, a mesur y llaeth. Hidlwch ⅓ o'r blawd ar ben y gymysgedd menyn a siwgr a chymysgu'n ofalus â llwy, gan ofalu peidio â gorgymysgu. Ychwanegwch ⅓ o'r llaeth at y cyfan a chymysgu eto â llwy. Gwnewch hyn ddwywaith eto nes bod y blawd a'r llaeth wedi cymysgu i gyd.

Llenwch y cesys nes eu bod nhw'n ⅔ llawn.

Coginiwch am 20–25 munud. Fe fydd y cacennau'n barod pan fyddan nhw wedi dechrau brownio ar y top a sgiwer yn dod allan yn lân.

Gadewch iddyn nhw oeri am ryw 2 funud yn y tun, yna rhoi'r cacennau ar rwyll fetel i oeri'n llwyr.

Unwaith y bydd y cacennau wedi oeri, torrwch dwll yng nghanol pob un. Gallwch wneud hyn â chyllell neu trwy ddefnyddio teclyn i dynnu'r canol allan o afal. Llenwch y twll â llwyaid o jam mafon. Peipiwch neu daenu'r eisin menyn ar ben y cacennau. Rhowch hanner Flake ym mhob un a'u haddurno ag ychydig o saws mafon.

Cacennau Melfed Coch

Mae'r gacen melfed coch hon wedi dod yn boblogaidd iawn fan hyn yn y blynyddoedd diwethaf o ganlyniad i'r holl siopau cacennau bach Americanaidd sydd wedi agor eu drysau yma. Yn wreiddiol byddai'r lliw trawiadol yn dod o'r adwaith rhwng y powdr coco a'r asid yn y llaeth enwyn ond, y dyddiau hyn, y ffordd orau o sicrhau'r lliw yw trwy ychwanegu ychydig o liw bwyd coch. Defnyddiwch bast lliw i greu lliw coch llachar.

125g o fenyn

240g o siwgr mân

2 wy

40g o bowdr coco

1 llwy de o rin fanila

1 llwy de o bast lliw coch

5 llwy fwrdd o ddŵr poeth

200ml o laeth enwyn

200g o flawd plaen

1 llwy de o soda pobi

1 llwy fwrdd o finegr gwyn

Ar gyfer yr eisin

600g o siwgr eisin

100g o fenyn

300g o gaws meddal fel Philadelphia (yn syth o'r oergell)

Cynheswch y popty i 170°C / Ffan 150°C / Nwy 4. Llenwch 2 dun myffins â chesys papur.

Gan ddefnyddio chwisg drydan, cymysgwch y menyn am 3 munud. Yna ychwanegwch y siwgr ychydig ar y tro, a chymysgu am 4–5 munud arall. Ychwanegwch yr wyau, un ar y tro, gan gymysgu pob un yn drwyadl â'r chwisg drydan.

Mewn powlen arall, cymysgwch y powdr coco, fanila, tua llond llwy de o liw coch a thua 5 llwy fwrdd o ddŵr poeth (digon i greu past trwchus a thywyll). Ychwanegwch hwn at y gweddill a chymysgu'n dda â'r chwisg.

Nawr ychwanegwch hanner y blawd a chymysgu'n ofalus â llwy cyn ychwanegu hanner y llaeth enwyn a'i gymysgu. Gwnewch yr un peth eto â gweddill y blawd a'r llaeth enwyn. Ychwanegwch y soda pobi a'r finegr a chymysgu unwaith eto â llwy.

Llenwch y cesys papur nes eu bod yn ⅔ llawn. Pobwch am 25 munud, neu nes eu bod nhw'n brownio ar y top a sgiwer yn dod allan yn lân.

Gadewch i'r cacennau oeri yn y tuniau am ychydig funudau cyn eu rhoi ar rwyll i oeri'n llwyr.

Er mwyn gwneud yr eisin, curwch y menyn am ychydig funudau â chwisg drydan, cyn ychwanegu hanner y siwgr eisin. Cymysgwch yn dda, yna ychwanegu'r caws meddal (gwnewch yn siŵr ei fod yn oer) a gweddill y siwgr eisin a churo am ryw 4 munud arall. Peidiwch â churo mwy na hynny neu fe fydd y gymysgedd yn mynd yn rhy denau.

Eisiwch y cacennau i gyd a'u haddurno ag ychydig o friwsion y gacen.

Gwnewch laeth enwyn eich hun trwy ychwanegu sudd lemon at laeth cyffredin.

Cacennau Moron iach

Nawr, dydy cacen byth yn mynd i fod cweit mor dda i chi ag afal neu Ryvita, ond mae'n bosib gwneud cacen sydd ychydig yn fwy iachus na'r rhai arferol. Sut? Wel, trwy leihau'r braster, defnyddio blawd gwenith cyflawn neu ddefnyddio llai o siwgr. Dwi'n licio perswadio fy hun bod y cacennau moron hyn yn cyfri tuag at fy mhum ffrwyth neu lysieuyn y dydd!

1 oren

140g o gyrens

125ml o olew *rapeseed*

115g o flawd plaen gwenith cyflawn

115g o flawd codi gwenith cyflawn

1 llwy de o bowdr codi

1 llwy de o soda pobi

1 ½ llwy de o sbeis cymysg

140g o siwgr brown golau

280g o foron wedi'u gratio (tua 4–5 moronen)

2 wy

Cynheswch y popty i 160°C / Ffan 140°C / Nwy 4 a llenwi tun â 12 cês myffin.

Gratiwch groen yr oren a gwasgu sudd hanner oren. Cymysgwch â'r cyrens a'u gadael i socian tra eich bod chi'n paratoi gweddill y gacen.

Rhannwch felynwy un o'r wyau oddi wrth y gwyn gan roi'r gwynwy i'r neilltu am y tro. Yna ychwanegwch yr wy cyfan arall at y melynwy. Ychwanegwch y siwgr at yr wy a'r melynwy a chymysgu â chwisg drydan am 2–3 munud. Parhewch i gymysgu ar bŵer isel ac ychwanegu'r olew yn araf.

Mewn powlen arall cymysgwch y ddau flawd, y powdr codi, y soda pobi a'r sbeis cymysg. Ychwanegwch ei hanner at y siwgr a'r wy, a chymysgu â llwy bren neu *spatula* plastig cyn ychwanegu'r gweddill. Fe fydd y gymysgedd yn stiff iawn nawr, ond peidiwch â phoeni am hynny. Ychwanegwch y moron a'r cyrens (gan gynnwys unrhyw hylif) at y blawd a'i gymysgu â llwy.

Nawr ychwanegwch binsied o bowdr codi at y gwynwy sydd yn weddill a chymysgu â chwisg drydan nes ei fod yn ffurfio pigau meddal. Plygwch y gwynwy yn ofalus i mewn i'r gymysgedd foron â llwy fetel neu *spatula* plastig.

Llenwch gesys myffin â'r gymysgedd, a'u pobi am 30 munud.

Gadewch iddyn nhw oeri a'u haddurno ag ychydig bach o eisin wedi'i wneud trwy gymysgu siwgr eisin â sudd oren.

Mae eisin caws meddal yn blasu'n hyfryd ar y cacennau hyn (gweler y rysáit Cacennau melfed coch, t.28).

Cacennau piña colada

Dwi'n gwybod nad piña colada yw'r coctel mwyaf ffasiynol ar y blaned, ond dwi'n licio nhw. Maen nhw'n fy atgoffa i o wyliau yn yr haul. Ond hyd yn oed heb y rỳm mae coconyt a phinafal yn mynd yn dda â'i gilydd. Felly dyma gacen sy'n cyfuno'r ddau flas hyfryd hyn, a chan nad oes yna unrhyw alcohol yn y rhain maen nhw'n iawn i'r plant hefyd.

100g o flawd codi
80g o flawd plaen
125g o fenyn
225g o siwgr mân
2 wy
120ml o laeth
Pinafal ffres neu binafal o dun wedi ei dorri'n ddarnau mân

Ar gyfer yr eisin
250g o fenyn
300g o siwgr eisin
3 llwy fwrdd o laeth
40g o goconyt hufennog wedi'i gratio, y math yr ydych yn ei brynu mewn bloc
Coconyt mân i addurno

Cynheswch y popty i 180°C / Ffan 160°C / Nwy 4 a rhoi 12 cês myffin mewn tun.

Gan ddefnyddio chwisg drydan, cymysgwch y menyn am 3 munud. Nawr ychwanegwch y siwgr ychydig ar y tro, gan gario ymlaen i gymysgu. Yna cymysgwch am 4–5 munud arall. Fe fyddwch chi'n sylwi ar y gwahaniaeth yn lliw'r gymysgedd erbyn y diwedd ac fe ddylai edrych yn olau a theimlo'n ysgafn. Yna ychwanegwch yr wyau, un ar y tro, gan gymysgu pob un yn drwyadl â'r chwisg drydan.

Cymysgwch y ddau flawd a'u rhoi i un ochr, a mesur y llaeth. Hidlwch ⅓ o'r blawd i'r gymysgedd menyn a siwgr a chymysgu'n ofalus â llwy, gan ofalu peidio â gorgymysgu. Ychwanegwch ⅓ o'r llaeth, a chymysgu eto â llwy. Gwnewch hyn ddwywaith eto nes bod y cyfan wedi cymysgu.

Gosodwch 3–4 darn o'r pinafal ar waelod pob cês, yna llenwi'r cesys â chymysgedd y gacen nes eu bod nhw'n ⅔ llawn.

Coginiwch am 20–25 munud. Fe fydd y cacennau'n barod pan fyddan nhw wedi dechrau brownio ar y top a sgiwer yn dod allan yn lân.

Er mwyn gwneud yr eisin, curwch y menyn am ryw funud â chwisg drydan, yna ychwanegu'r llaeth a hanner y siwgr eisin. Cymysgwch yn araf i ddechrau gan fod y siwgr eisin yn gallu mynd i bobman. Yna ychwanegwch weddill y siwgr eisin a'r coconyt hufennog wedi'i gratio a chymysgu am 4 munud arall.

Addurnwch y cacennau â'r eisin ac ysgeintio ychydig o'r coconyt mân ar eu pennau.

Cacennau Siocled Oren

**Dwi wrth fy modd â'r siocled oren yna rydych chi wastad yn ei weld amser y Nadolig.
Dydy un neu ddau ddarn byth yn ddigon ond eto, am ryw reswm, dwi byth yn eu bwyta weddill y flwyddyn.
Mae'r cyfuniad o siocled ac oren yn berffaith, a dyna oedd yr ysbrydoliaeth ar gyfer y cacennau hyn.**

100g o flawd codi
80g o flawd plaen
125g o fenyn
225g o siwgr mân
2 wy
1 oren
70ml o laeth
½ llwy de o nodd oren
(orange essence)
40g o ddarnau
siocled llaeth

Ar gyfer yr eisin
125g o fenyn
225g o siwgr eisin
30g o bowdr coco
4 llwy fwrdd o laeth

I greu sbwnj siocled ac oren beth am gyfnewid 40g o'r blawd plaen am 40g o bowdr coco.

Cynheswch y popty i 180°C / Ffan 160°C / Nwy 4 a rhoi 12 cês myffin yn y tun.

Gan ddefnyddio chwisg drydan, cymysgwch y menyn am 3 munud. Nawr ychwanegwch y siwgr ychydig ar y tro, gan gario ymlaen i gymysgu â'r chwisg. Yna cymysgwch am 4–5 munud arall. Fe fyddwch chi'n sylwi ar y gwahaniaeth yn lliw'r gymysgedd erbyn y diwedd ac fe ddylai edrych yn olau a theimlo'n ysgafn. Yna ychwanegwch yr wyau, un ar y tro, gan gymysgu pob un yn drwyadl â'r chwisg drydan. Gratiwch groen yr oren yn fân a'i gymysgu'n dda.

Cymysgwch y ddau flawd a'u rhoi i un ochr; mesurwch y llaeth a gwasgu sudd yr oren. Hidlwch ⅓ o'r blawd i mewn i'r gymysgedd menyn a siwgr a chymysgu'n ofalus â llwy, gan ofalu peidio â gorgymysgu. Ychwanegwch ⅓ o'r llaeth a chymysgu â llwy. Gwnewch hyn ddwywaith eto nes bod y cyfan wedi cymysgu.

Ychwanegwch y sudd oren a'r nodd oren ac, yn olaf, ychwanegu'r darnau siocled a chymysgu'n ofalus â llwy.

Llenwch y cesys nes eu bod nhw'n ⅔ llawn.

Rhowch y cacennau yn y popty a choginio am 20–25 munud. Fe fydd y cacennau'n barod pan fyddan nhw wedi dechrau brownio ar y top a sgiwer yn dod allan yn lân.

Gadewch iddyn nhw oeri am ryw 2 funud yn y tun, yna rhoi'r cacennau ar rwyll fetel i oeri'n llwyr.

Er mwyn gwneud yr eisin, curwch y menyn am ryw funud â chwisg drydan, yna ychwanegu'r llaeth, powdr coco a hanner y siwgr eisin. Cymysgwch yn araf i ddechrau gan fod y siwgr eisin yn gallu mynd i bobman. Yna ychwanegwch weddill y siwgr eisin a chymysgu am 4 munud arall.

Cacennau Mintys a siocled

Mae mintys a siocled yn glasur o gyfuniad, ond er bod yna ddigonedd o siocledi a bisgedi â mintys ynddyn nhw, prin dwi wedi gweld cacennau mintys a siocled. Ond pam lai? Dwi'n credu bod y ddau'n gweddu'n berffaith mewn cacennau bach.

100g o flawd codi
40g o flawd plaen
40g o bowdr coco
125g o fenyn
225g o siwgr mân
2 wy
120ml o laeth
1 llwy de o rin fanila

Ar gyfer yr eisin
125g o fenyn heb halen
225g o siwgr eisin
1 llwy de o nodd mintys
(*mint essence*)
3 llwy fwrdd o laeth
Darnau siocled tywyll i addurno

Beth am ychwanegu darnau siocled i'r gacen hefyd? Gwnewch hyn ar ôl ychwanegu'r llaeth a'r blawd.

Cynheswch y popty i 180°C / Ffan 160°C / Nwy 4 a rhoi 12 cês myffin yn y tun.

Gan ddefnyddio chwisg drydan, cymysgwch y menyn am 3 munud. Nawr ychwanegwch y siwgr ychydig ar y tro, gan barhau i gymysgu â'r chwisg. Yna cymysgwch am 4–5 munud arall. Fe fyddwch chi'n sylwi ar y gwahaniaeth yn lliw'r gymysgedd erbyn y diwedd ac fe ddylai edrych yn olau a theimlo'n ysgafn. Yna ychwanegwch yr wyau, un ar y tro, gan gymysgu pob un yn drwyadl â'r chwisg drydan.

Nawr cymysgwch y ddau flawd a'r powdr coco a'u rhoi i un ochr; cymysgwch y fanila a'r llaeth. Hidlwch ⅓ o'r blawd a'r coco ar ben y gymysgedd menyn a siwgr a chymysgu'n ofalus â llwy. Gofalwch beidio â gorgymysgu. Yna ychwanegwch ⅓ o'r llaeth a fanila a chymysgu â llwy. Gwnewch hyn ddwywaith eto nes bod y cyfan wedi cymysgu.

Llenwch y cesys nes eu bod nhw'n ⅔ llawn.

Coginiwch am 20–25 munud. Fe fydd y cacennau'n barod pan fyddan nhw wedi dechrau brownio ar y top a sgiwer yn dod allan yn lân.

Gadewch iddyn nhw oeri am ryw 2 funud yn y tun, yna rhoi'r cacennau ar rwyll fetel i oeri'n llwyr.

Er mwyn gwneud yr eisin, curwch y menyn am ryw funud â chwisg drydan, yna ychwanegu'r llaeth, nodd mintys a hanner y siwgr eisin. Cymysgwch yn araf i ddechrau gan fod siwgr eisin yn gallu mynd i bobman. Yna ychwanegwch weddill y siwgr eisin a chymysgu am 4 munud arall.

Addurnwch y cacennau â'r eisin gan orffen trwy roi ychydig o ddarnau o siocled tywyll am eu pennau.

Bisgedi a phethau bychain

Yn wahanol i gacennau bach lliwgar a phrydferth, dydy bisgedi, fflapjacs a *brownies* ddim y pethau deliaf y byddwch yn eu coginio. Ond dydy hynny ddim yn golygu nad ydyn nhw'n flasus, ac maen nhw'n mynd yn berffaith gyda phaned, felly does dim achos cwyno!

Maen nhw hefyd yn rhai o'r pethau hawsaf a chyflymaf y gallwch eu gwneud, ac yn aml dyma rai o'r pethau cyntaf y byddwn ni'n dysgu eu coginio yn blant bach. Mae cwpl o'r ryseitiau hyn yn dod ag atgofion plentyndod melys iawn yn ôl i mi. Mae'r bisgedi malws melys yn fisgedi yr oedden ni'n eu prynu drwy'r amser pan oedden ni'n blant, ond dwi ddim wedi'u gweld nhw ar werth yn y siopau ers blynyddoedd felly roeddwn i'n teimlo fel hogan fach unwaith eto ar ôl eu hail-greu.

Rysáit arall sy'n golygu lot i mi yw fflapjacs Mam. Dwi erioed wedi cwrdd ag unrhyw un sy'n gwneud fflapjacs fel Mam, gyda thoes a jam ar y gwaelod. Gwaetha'r modd, dydy hi ddim yma i roi'r rysáit i mi, felly dwi'n gobeithio bod fy ymdrech i cystal ac yn gwneud cyfiawnder â hi.

Gyda silffoedd ar silffoedd o fisgedi ar gael yn y siopau'r dyddiau hyn, mae rhai pobl yn gofyn i mi beth yw'r pwynt gwneud eich bisgedi eich hun. Ond yn fy marn i does yna ddim byd yn rhoi mwy o foddhad na llenwi eich tun eich hun â bisgedi yn ffres o'r popty.

Bisgedi ceirch a rhesins

Mae'r bisgedi hyn yn hawdd iawn i'w gwneud ac yn blasu'n hyfryd – perffaith os ydych chi am blesio rhywun sy'n dod draw i de. Mae'r toes yn rhewi'n dda hefyd.

100g o fenyn meddal

180g o siwgr brown golau

30g o siwgr mân

1 wy

1½ llwy de o rin fanila

100g o geirch

100g o resins

150g o flawd plaen

1 llwy de o soda pobi

1 llwy de o sinamon

Cynheswch y popty i 170°C / Ffan 150°C / Nwy 3.

Curwch y menyn, y ddau siwgr a'r rhin fanila am ryw 3–4 munud â chwisg drydan nes bod y cyfan yn olau ac yn ysgafn. Ychwanegwch yr wy a'i gymysgu'n drylwyr â'r chwisg.

Hidlwch y blawd, y soda pobi a'r sinamon i mewn i'r bowlen a chymysgu'r cyfan â llwy bren. Yna ychwanegwch y ceirch a'r rhesins a chymysgu'n dda.

Leiniwch dun pobi hirsgwar â phapur gwrthsaim a rhoi llond llwy fwrdd o'r gymysgedd mewn lympiau ar y tun. Gwnewch yn siŵr eich bod chi'n gadael digon o le rhwng pob un achos fe fyddan nhw'n lledaenu rywfaint.

Coginiwch am 14 munud, neu nes bod yr ochrau'n dechrau brownio.

Ar ôl eu gadael nhw i oeri am ychydig yn y tun pobi, rhowch nhw ar rwyll i oeri'n llwyr.

Mae'r gymysgedd yn gwneud pentwr go dda o fisgedi, ond os nad ydych chi eisiau eu bwyta nhw i gyd ar unwaith gallwch rewi'r toes cyn ei goginio. Ffurfiwch sosej o'r toes sydd ar ôl, ei lapio mewn papur gwrthsaim a'i roi mewn bag plastig y gellir ei roi yn y rhewgell. Yna, pan fyddwch awydd bisgedi eto, tynnwch y toes o'r rhewgell, ei dorri'n dafelli â chyllell finiog a'u pobi'n syth. Bydd angen eu coginio am rhyw 5 munud yn ychwanegol gan eu bod wedi rhewi. Dyma ateb perffaith os oes rhywun yn dod draw i'ch gweld yn annisgwyl.

Bisgedi tri siocled

Os ydych chi fel finne'n hoffi siocled fe fyddwch chi wrth eich bodd â'r rhain. Fe fydd y rysáit yn gwneud tomen o fisgedi, ond gallwch rewi hanner y gymysgedd. Pan fyddwch awydd bisgedi eto, tynnwch y toes o'r rhewgell, torri tafelli â chyllell finiog a'u pobi'n syth. Bydd angen ychwanegu 5 munud i'r amser coginio.

100g o fenyn meddal
180g o siwgr brown golau
30g o siwgr mân
1 wy
1½ llwy de o rin fanila
1 llwy de o soda pobi
150g o flawd plaen
50g o bowdr coco
100g o ddarnau siocled gwyn, llaeth a thywyll

Cynheswch y popty i 170°C / Ffan 150°C / Nwy 3.

Curwch y menyn, y ddau siwgr a'r rhin fanila am ryw 3–4 munud â chwisg drydan nes bod y gymysgedd yn olau ac yn ysgafn. Ychwanegwch yr wy a'i gymysgu'n drwyadl â'r chwisg.

Hidlwch y blawd, y soda pobi a'r powdr coco a'u cymysgu â llwy bren. Yna ychwanegwch y darnau siocled a chymysgu'r cyfan â llwy.

Leiniwch dun pobi hirsgwar â phapur gwrthsaim a rhowch lond llwy fwrdd o'r gymysgedd mewn lympiau ar y tun. Gwnewch yn siŵr eich bod chi'n gadael digon o le rhwng pob un achos fe fyddan nhw'n lledaenu rywfaint.

Coginiwch am 14 munud, neu nes bod yr ochrau'n dechrau brownio.

Ar ôl eu gadael nhw i oeri am ychydig ar y tun pobi, rhowch nhw ar rwyll i oeri'n llwyr.

Bisgedi pistasio

Er mor syml yw cynhwysion y bisgedi hyn, i mi does yna ddim byd i'w curo. Er mwyn sicrhau eu bod nhw'n grensiog ac yn ysgafn triwch beidio â chwarae gormod â'r toes. Mae'n bwysig iawn defnyddio menyn da yn y bisgedi hyn, gan mai dyna'r cynhwysyn allweddol sy'n rhoi blas cyfoethog iddyn nhw.

100g o fenyn
50g o siwgr mân
130g o flawd plaen
20g o flawd corn
Pinsied o halen
30g o gnau pistasio heb halen

Curwch y menyn a'r siwgr un ai â llwy bren neu â chwisg drydan. Wrth wneud y bisgedi hyn does dim angen cymysgu nes bod y gymysgedd yn olau ac yn ysgafn, dim ond nes i'r cyfan gyfuno, felly does dim rhaid defnyddio chwisg drydan os yw'n well gennych beidio. Yna torrwch y cnau pistasio'n weddol fân a'u hychwanegu at y menyn a'r siwgr.

Hidlwch y blawd, y blawd corn a'r halen am ben y cyfan a chymysgu popeth â llwy bren, cyn defnyddio'ch dwylo i ddod â phopeth at ei gilydd i ffurfio pêl o does.

Gwasgwch y toes allan nes ei fod yn hanner centimetr o drwch (gallwch ddefnyddio pin rholio ond peidiwch â bod yn rhy lawdrwm neu fe fydd yn amharu ar ansawdd terfynol y bisgedi). Yna torrwch gylchoedd â thorrwr toes pwrpasol neu bot jam gwag a'u gosod ar dun pobi wedi'i leinio â phapur gwrthsaim. Rhowch yn yr oergell am o leiaf hanner awr i oeri.

Cynheswch y popty i 170°C / Ffan 150°C / Nwy 3. Coginiwch y bisgedi am 20 munud. Dylai'r bisgedi fod yn olau o hyd; nid yw'r rhain i fod i frownio.

Rhowch ar rwyll fetel i oeri ac ysgeintio ychydig o siwgr mân drostyn nhw.

Bisgedi Malws Melys

Roeddwn i wedi llwyr anghofio am fodolaeth y bisgedi hyn nes i fy chwaer awgrymu y byddai'n syniad da eu cynnwys yn y llyfr. Roedden ni'n arfer eu bwyta'n aml pan oedden ni'n iau, ond dwi ddim wedi gweld rhai yn y siopau ers blynyddoedd. Yr her i mi, felly, oedd ceisio ail-greu rhywbeth tebyg i ddod ag ychydig o atgofion melys yn ôl. Gobeithio i mi lwyddo.

100g o fenyn
140g o siwgr mân
1 wy
¼ llwy de o rin fanila
220g o flawd plaen

Ar gyfer yr eisin
50g o fenyn
50g o siwgr eisin
150g o falws melys pinc
3 llwy fwrdd o jam mafon
50g o goconyt mân

Cynheswch y popty i 200°C / Ffan 180°C / Nwy 6 a leinio dau dun pobi hirsgwar â phapur gwrthsaim.

Er mwyn gwneud y bisgedi, curwch y menyn a'r siwgr â chwisg drydan am ychydig funudau nes bod y gymysgedd yn olau ac yn ysgafn, yna ychwanegu'r wy a churo nes ei fod wedi cymysgu'n drwyadl. Ychwanegwch y rhin fanila a chymysgu'n dda â'r chwisg.

Hidlwch y blawd a'i blygu i mewn i'r gymysgedd â llwy bren. Yna, â'ch dwylo, tylinwch y toes am ryw funud nes ei fod yn glynu at ei gilydd yn belen lefn.

Ysgeintiwch ychydig o flawd ar y bwrdd a rholio'r toes allan nes ei fod yn 5mm o drwch. Torrwch y toes i siapiau hirsgwar tua 5cm x 7cm. Os oes toes yn weddill, rholiwch y cyfan eto ac ailadrodd y torri. Dylai'r rysáit wneud rhyw 20 o fisgedi i gyd.

Rhowch y darnau toes ar y tun pobi. Gwnewch yn siŵr eich bod yn gadael digon o le rhwng pob un achos fe fyddan nhw'n lledaenu rywfaint.

Pobwch am 10 munud, neu nes bod y bisgedi'n dechrau brownio ar yr ochrau.

Rhowch ar rwyll fetel i oeri.

Er mwyn gwneud yr eisin, toddwch y malws melys mewn powlen sydd wedi'i gosod dros sosban o ddŵr sy'n mudferwi. Gwnewch yn siŵr nad yw'r bowlen yn cyffwrdd â'r dŵr.

Chwisgiwch y menyn nes ei fod yn feddal, yna ychwanegu'r siwgr eisin a'i guro am ryw 2 funud arall. Ychwanegwch y malws melys wedi'u toddi a churo am ychydig funudau eto, nes bod y cyfan yn llyfn.

Rhowch yr eisin mewn bag eisio. Does dim angen trwyn penodol – fe allech chi dorri twll yng ngwaelod y bag hyd yn oed. Yna peipiwch ddau stribyn o eisin ar hyd dwy ochr hir eich bisgedi, gan adael digon o le yn y canol i'r jam.

Ysgeintiwch y coconyt dros y stribedi eisin gan wasgu i lawr yn ysgafn i wneud yn siŵr fod y cyfan yn sticio. Siglwch y bisgedi, ben i waered, i gael gwared ag unrhyw goconyt sy'n ormod.

Rhowch y jam mewn sosban fach a'i gynhesu ar wres isel nes iddo deneuo. Yna, gan ddefnyddio llwy de, taenwch y jam ar hyd canol y bisgedi.

Brownies

Does 'na ddim byd mwy siomedig na *brownie* sych. Dwi'n cofio fy modryb yn trio eu gwneud nhw unwaith ac yn eu coginio nes eu bod yn galed fel craig. Na, mae *brownie* i fod yn drwchus, yn feddal ac yn ludiog – y gwrthwyneb yn llwyr i gacen arferol. Felly'r tric wrth goginio *brownies* yw peidio â gorbobi'r gymysgedd. Dylai'r canol fod yn feddal pan fyddwch yn ei dynnu o'r popty. Fe fydd yn dal i goginio wrth iddo oeri.

200g o siocled tywyll
175g o fenyn
300g o siwgr mân
3 wy
Pinsied o halen
60g o bowdr coco
60g o flawd plaen
1 llwy de o bowdr codi
2 lwy de o rin fanila

Cynheswch y popty i 190°C / Ffan 170°C / Nwy 5 ac iro a leinio tun sgwâr tua 23cm x 23cm.

Toddwch y menyn a'r siocled mewn powlen uwchben sosban o ddŵr sy'n mudferwi. Gnewch yn siŵr nad yw'r bowlen yn cyffwrdd â'r dŵr. Ar ôl i'r gymysgedd menyn a siocled doddi, tynnwch y bowlen oddi ar y sosban a'i rhoi i un ochr i oeri.

Chwisgiwch yr wyau, y siwgr a'r fanila mewn powlen arall nes bod y gymysgedd yn olau ac yn ysgafn. Ychwanegwch y gymysgedd siocled a chymysgu'r cyfan â llwy.

Yna hidlwch y blawd, y powdr coco, y powdr codi a'r halen i'r gymysgedd, a phlygu'r cyfan yn ofalus.

Tywalltwch y gymysgedd i'r tun a choginio am 30–35 munud. Gadewch i oeri'n llwyr yn y tun cyn torri'r *brownies* yn sgwariau.

Brownies siocled gwyn

Dwi'n hoff iawn o *brownies* cyffredin ond mae modd creu *brownies* hollol wahanol wrth gyfnewid y siocled tywyll am siocled gwyn. Maen nhw ychydig bach yn fwy melys, felly dwi'n licio rhoi cnau pecan yn y rhain i greu cyferbyniad o ran ansawdd a blas.

200g o siocled gwyn
100g o fenyn
150g o siwgr mân
2 wy
Pinsied o halen
2 lwy de o rin fanila
230g o flawd plaen
80g o gnau pecan

Cynheswch y popty i 170°C / Ffan 150°C / Nwy 3 a leinio tun sgwâr tua 23cm x 23cm â phapur gwrthsaim.

Toddwch y siocled a'r menyn mewn powlen dros sosban o ddŵr sy'n mudferwi. Gwnewch yn siŵr nad yw'r bowlen yn cyffwrdd â'r dŵr. Unwaith mae'r gymysgedd siocled a menyn wedi toddi, tynnwch oddi ar y gwres a gadewch iddi oeri am ychydig funudau.

Chwisgiwch yr wyau, y siwgr a'r fanila mewn powlen arall nes eu bod nhw'n ysgafn, cyn cymysgu'r gymysgedd siocled i mewn i'r cyfan â llwy.

Hidlwch y blawd a'r halen a'u plygu i mewn i'r gymysgedd. Yna ychwanegwch y cnau a chymysgu'r cyfan â llwy.

Tywalltwch y gymysgedd i'r tun a phobi am 35–40 munud.

Gadewch i oeri'n llwyr yn y tun cyn torri'r *brownies* yn sgwariau.

fflapjacs Mam

Pan fydda i'n meddwl 'nôl am yr hyn yr oedd Mam yn ei goginio, y fflapjacs hyn yw'r peth cyntaf sy'n dod i fy meddwl. Dwi ddim wedi cael fflapjac tebyg yn unrhyw le arall. Mae toes ar y gwaelod, yna haenen o jam, ac ar ben hynny wedyn mae'r fflapjacs. Dwi ddim yn siŵr oedd gan Mam rysáit – dwi ddim wedi ffeindio un hyd yn hyn – ond gobeithio y bydd rhain yn eich plesio chi cymaint ag oedden nhw'n fy mhlesio i fel hogan fach.

Ar gyfer y toes

225g o flawd plaen
100g o fenyn oer
Pinsied o halen
4 llwy fwrdd o
ddŵr oer iawn

Ar gyfer y fflapjacs

250g o fenyn
4 llwy fwrdd o
surop euraidd
110g o siwgr brown
450g o geirch
2 lwy fwrdd o jam mafon

Gwnewch y toes i ddechrau drwy rwbio'r menyn oer i'r blawd a'r halen nes bod y cyfan yn edrych fel briwsion.

Ychwanegwch y dŵr, un llwyaid ar y tro, a chymysgu nes bod y toes yn dod at ei gilydd ac y gallwch ffurfio pêl ohono. Efallai na fydd angen yr holl ddŵr – gofalwch nad ydy'r toes yn rhy wlyb. Lapiwch y toes mewn *cling film* a'i roi yn yr oergell am 30 munud.

Yna rhowch ychydig o flawd ar y bwrdd a rholio'r toes nes ei fod yn ddigon mawr i ffitio'r tun. Tun 32cm x 22cm y bydda i'n ei ddefnyddio. Rhowch y toes ar waelod y tun – does dim angen mynd i fyny'r ochrau – a phricio'r toes â fforc. Gorchuddiwch y toes â phapur gwrthsaim a phys seramig a'i goginio ar dymheredd o 180°C/ Ffan 160°C/ Nwy 4 am 10 munud.

Yn y cyfamser, toddwch y menyn, y siwgr a'r surop mewn sosban. Tynnwch oddi ar y gwres ac ychwanegu'r ceirch, a chymysgu'r cyfan nes bod y ceirch i gyd wedi'u gorchuddio â menyn a siwgr.

Tynnwch y crwst o'r popty a chael gwared o'r pys seramig a'r papur gwrthsaim. Yna taenwch y jam ar ben y crwst, a gorchuddio'r cyfan â'r gymysgedd fflapjacs.

Rhowch yn ôl yn y popty a choginio am 20 munud arall.

Gadewch iddo oeri yn y tun cyn torri'r fflapjacs yn sgwariau.

Sleisys almon a mafon

Mae'r rhain yn ffefrynnau eraill o fy mhlentyndod; rhai o'r siop yr oedden ni'n eu cael gan amlaf, ond mae rhai cartref yn hawdd i'w gwneud ac yn llawer mwy blasus.

Ar gyfer y toes

225g o flawd plaen

110g o fenyn oer

Pinsied o halen

Tua 4 llwy fwrdd o ddŵr oer iawn

Ar gyfer y gacen

175g o fenyn

175g o siwgr mân

3 wy

110g o flawd codi

75g o almonau mâl

½ llwy de o rin almon

3–4 llwy fwrdd o jam mafon

Tafellau almon ar gyfer addurno

Byddwch angen tun 30cm x 25cm ar gyfer y rysáit hon

Dechreuwch drwy wneud y toes gan rwbio'r menyn yn y blawd a'r halen nes bod y cyfan yn edrych fel briwsion mân. Yna ychwanegwch y dŵr, un llwyaid ar y tro, nes eich bod yn gallu ffurfio pêl o does. Lapiwch hi mewn *cling film* a'i gadael i oeri yn yr oergell am 30 munud.

Yn y cyfamser, paratowch y gacen. Chwisgiwch y menyn a'r siwgr am 4–5 munud nes bod y gymysgedd yn olau ac yn ysgafn. Yna ychwanegwch yr wyau un ar y tro, gan gymysgu'n drwyadl cyn ychwanegu'r wy nesaf. Ychwanegwch y rhin almon a chymysgu â chwisg.

Yna hidlwch y blawd i'r gymysgedd, ychwanegu'r almonau mâl a phlygu'r cyfan yn ofalus â llwy.

Cynheswch y popty i 180°C / Ffan 160°C / Nwy 4.

Tynnwch y toes o'r oergell ac ysgeintio ychydig o flawd ar y bwrdd. Rholiwch y toes allan i faint eich tun a 3mm o drwch a'i osod ar waelod y tun, gan dorri unrhyw does sy'n weddill i ffwrdd.

Taenwch y toes â digonedd o jam ac ychwanegu cymysgedd y gacen am ei ben, gan ei gwthio i'r ochrau a'i llyfnhau â chyllell. Gwasgarwch ychydig o'r tafellau almon ar ben y cyfan a'i bobi am 25–30 munud nes ei fod wedi brownio.

Gadewch iddo oeri yn y tun yna'i dorri'n sleisys.

Toes

O'r holl sgiliau pobi, gwneud toes yw'r peth sydd fwyaf tebygol o ddychryn pobl. Dwi'n gwybod fy mod i wedi ei osgoi am flynyddoedd gan fy mod i ofn gwneud llanast llwyr. Ond peidiwch â bod ofn: y tric yw mynd ati gyda hyder – ac ymarfer. Os nad ydy o'n gweithio'r tro cyntaf, triwch eto. Dyma ychydig o gyngor ar sail yr hyn dwi wedi'i ddysgu wrth chwarae â thoes!

Pan fyddwch yn gwneud toes mae angen sicrhau bod popeth mor oer â phosib. Felly defnyddiwch fenyn o'r oergell a dŵr oer â rhew ynddo. Dwi hyd yn oed yn defnyddio powlen fetel sydd wedi bod yn yr oergell am ychydig funudau os yw hi'n ddiwrnod poeth. Byddwch chi'n iawn yng nghanol y gaeaf!

Pan ydych chi'n dechrau gweithio â thoes mae nerfusrwydd yn aml yn golygu eich bod chi'n chwarae'n rhy hir ag o. Dyna'r peth gwaethaf y gallwch chi ei wneud – mae angen gweithio'r toes cyn lleied â phosib er mwyn sicrhau ei fod yn ysgafn.

1 Y cam cyntaf yw rhwbio'r braster i mewn i'r blawd. Er mwyn osgoi defnyddio gormod ar fy nwylo, dwi'n licio dechrau trwy gymysgu'r menyn i mewn i'r blawd gyda chyllell, ac wedyn defnyddio fy nwylo i rwbio'r braster i mewn. Mae angen dwylo ysgafn, felly defnyddiwch flaenau eich bysedd yn unig a'u codi'n uchel dros y bowlen i adael digon o aer i mewn.

2 Wedyn mae angen ychwanegu'r hylif, a nawr mae eisiau gweithio'n weddol gyflym. Defnyddiwch gyllell eto i ddechrau cymysgu gan orffen â'ch dwylo. Ychwanegwch y dŵr yn raddol, gan fod rhai mathau o flawd yn amsugno mwy o ddŵr nag eraill. Unwaith mae'r gymysgedd wedi dod at ei gilydd, stopiwch.

3 Yna mae angen lapio'r toes mewn *cling film* a'i roi yn yr oergell am o leiaf 30 munud. Bydd hyn yn golygu ei fod yn haws i'w rolio, ac fe fydd yn llai tebygol o leihau pan fyddwch yn ei goginio.

4 Wrth rolio, fe ddylech droi'r toes – yn hytrach na throi'r pin rholio – a thrio osgoi pwyso'n rhy galed.

5 Y ffordd orau o drosglwyddo'r toes i'r tun yw ei rolio o gwmpas y pin rholio ac wedyn ei ddad-rolio am ben y tun. Yna gallwch wasgu'r toes i mewn i'r tun yn ofalus gan beidio â'i ymestyn yn ormodol. Yn hytrach na defnyddio eich dwylo, gallwch ddefnyddio pelen fach o does mewn *cling film* i wasgu'r toes i ochrau'r tun. Rholiwch y pin rholio dros dop y tun i dorri unrhyw does sy'n weddill i ffwrdd.

6 Mae llawer o ryseitiau'n gofyn i chi bobi'r toes ar ei ben ei hun cyn ychwanegu'r llenwad. Pe byddech chi'n ei goginio ar ei ben ei hun, fe fyddai'r toes yn codi wrth goginio, felly er mwyn osgoi hynny mae angen pricio'r gwaelod â fforc, leinio'r toes â phapur gwrthsaim a defnyddio pys seramig i bwyso'r toes i lawr. Mae'n bosib defnyddio unrhyw bys neu ffa sych, ond mae pys seramig pwrpasol yn cario gwres yn dda sy'n golygu bod y toes yn coginio'n gytbwys.

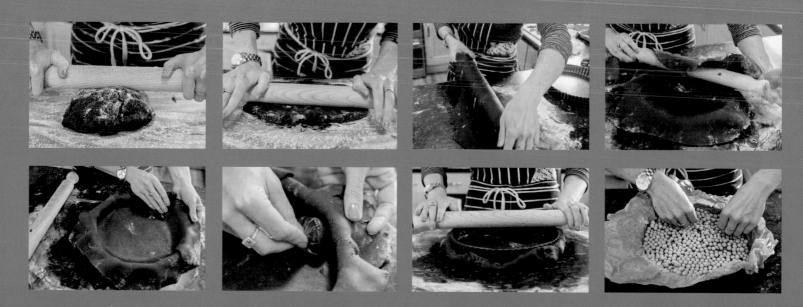

Profiteroles

Mae *profiteroles* yn bwdin sy'n sicr o wneud argraff dda ar eich gwesteion. Mae llawer o bobl yn poeni eu bod nhw'n anodd i'w gwneud – wel, ddim o gwbl. A dweud y gwir, dyma'r toes hawsaf i'w wneud yn fy marn i, cyn belled â bod gennych chwisg drydan. Fel arall fe fydd angen cryn dipyn o fôn braich!

Ar gyfer y crwst *choux*
50g o fenyn
150ml o ddŵr oer
1 llwy bwdin o siwgr mân
125g o flawd plaen
3 wy

Ar gyfer y llenwad
300ml o hufen dwbl
1 llwy de o rin fanila
2 lwy fwrdd o siwgr eisin

Ar gyfer y saws siocled
100g o siocled tywyll
100g o siwgr eisin
2 lwy fwrdd o ddŵr berwedig

Fe fydd angen bag eisio arnoch i beipio'r toes ar y tun cyn coginio ac i lenwi'r *profiteroles* â hufen

Cynheswch y popty i 200°C / Ffan 180°C / Nwy 6.

Rhowch y menyn, y dŵr a'r siwgr mewn sosban a dod â nhw i'r berw.

Tra bod y gymysgedd yn cynhesu, plygwch ddarn mawr o bapur gwrthsaim yn ei hanner a'i agor eto fel bod gennych blygiad i lawr y canol. Yna hidlwch y blawd ar ben y darn papur. Y rheswm dros wneud hyn yw bod angen saethu'r blawd i mewn i'r gymysgedd yn gyflym iawn, a dyma'r ffordd hawsaf o wneud hynny.

Unwaith y bydd y dŵr wedi dechrau berwi a'r menyn a'r siwgr wedi toddi, tynnwch y sosban oddi ar y gwres. Yna saethwch y blawd i mewn i'r sosban mewn un symudiad, a churo'n syth â llwy bren nes bod y cyfan yn ffurfio pelen sy'n glanhau ochrau'r sosban. Rhowch y sosban yn ôl ar y gwres a pharhau i guro'r gymysgedd am 30 eiliad arall. Nawr trosglwyddwch y gymysgedd i bowlen gymysgu a gadael iddi oeri am tua 5 munud.

Yna, gan ddefnyddio chwisg drydan, curwch yr wyau i mewn un ar y tro, gan sicrhau bod y cyntaf yn cael ei gymysgu'n drwyadl cyn ychwanegu'r nesaf. Efallai y bydd yn edrych yn od i ddechrau ond parhewch i gymysgu ac fe fydd y cyfan yn dod at ei gilydd. Fe ddylai'r toes edrych yn llyfn a sgleiniog a dod oddi ar eich llwy yn hawdd.

Gallwch ailddefnyddio'r papur gwrthsaim i leinio tun pobi hirsgwar. Er mwyn creu stêm yn y popty, a fydd yn helpu eich toes i godi, ysgeintiwch ychydig o ddŵr ar y papur ac yna ei ysgwyd i wneud yn siŵr nad oes gormodedd o ddŵr arno.

Gallwch wneud y crwst choux o flaen llaw, ond peidiwch â llenwi'r profiteroles yn rhy fuan neu bydd y crwst yn mynd yn feddal.

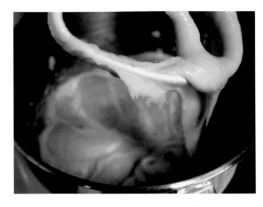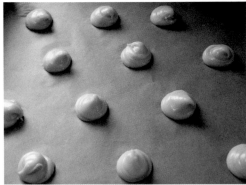

Y ffordd orau o greu peli toes o'r un maint yw drwy ddefnyddio bag peipio. Dydy o ddim yn angenrheidiol – gallwch wneud lympiau â llwy de, ond fyddan nhw ddim cweit mor unffurf. Er mwyn gwneud y broses o beipio'r toes yn haws dwi'n tueddu i sticio'r papur i lawr ar y tun drwy roi darn bach o does ym mhob cornel.

Does dim angen trwyn eisio ar gyfer y rysáit hon; yn hytrach, torrwch rhyw fodfedd oddi ar waelod y bag fel bod gennych dwll crwn. Nawr llenwch eich bag eisio â'r toes a pheipio peli bach ar y papur gwrthsaim, gan adael rhyw fodfedd rhwng pob un.

Coginiwch y peli am 25–30 munud. Ar ôl eu tynnu o'r popty gwnewch dwll yng ngwaelod pob un â blaen cyllell finiog, er mwyn gadael y stêm allan. Yna rhowch nhw'n ôl yn y popty â'r twll yn wynebu i fyny, a'u coginio am 5 munud arall.

Gadewch iddyn nhw oeri ar rwyll fetel.

Er mwyn gwneud y llenwad, chwisgiwch yr hufen nes ei fod yn dechrau tewhau yna ychwanegu'r fanila a'r siwgr eisin a chwisgio eto nes bod y cyfan yn drwchus. Defnyddiwch fag eisio i lenwi'r crwst *choux* – gwnewch yn siŵr bod y *profiteroles* yn hollol oer yn gyntaf neu fe fydd yr hufen yn toddi.

Unwaith eto, torrwch waelod y bag peipio i ffwrdd fel bod gennych dwll rhyw 1cm ar draws, a llenwi'r bag â'r hufen. Peipiwch yr hufen i mewn i'r *profiteroles* trwy'r twll a wnaed yn eu gwaelod yn gynharach.

Er mwyn gwneud y saws siocled, toddwch y siocled yn y micro-don neu mewn powlen dros sosban o ddŵr, gan wneud yn siŵr nad yw'r bowlen yn cyffwrdd â'r dŵr. Yna ychwanegwch y siwgr eisin a'r dŵr berwedig at y siocled (oddi ar y gwres), a chymysgu nes bod y cyfan yn llyfn.

Gweinwch y saws siocled am ben y *profiteroles*.

Éclairs siocled

Mae'r *éclairs* bach siocled yma'n glasur ac yn berffaith ar gyfer te prynhawn. Dwi'n hoffi gwneud rhai bach delicet, yn hytrach na rhai mawr, a'u llenwi nhw â hufen siocled cyfoethog.

Ar gyfer y crwst *choux*
Gweler y rysáit
Profiteroles, t. 54

Ar gyfer y llenwad
300ml o hufen
1 llwy de o rin fanila
100g o siocled llaeth

Ar gyfer y saws siocled
100g o siocled tywyll
100g o siwgr cisin
2 lwy fwrdd o
ddŵr berwedig

Cynheswch y popty i 200°C / Ffan 180°C / Nwy 6. Leiniwch dun pobi hirsgwar â phapur gwrthsaim.

Paratowch y toes *choux* gan ddilyn cyfarwyddiadau'r rysáit *Profiteroles*, ond yn hytrach na pheipio peli bach peipiwch nifer o stribedi neu sosejys bach tua 10cm o hyd ar y papur gwrthsaim sy'n leinio'r tun.

Coginiwch am 30–35 munud. Ar ôl eu tynnu o'r popty gnewch dwll yng ngwaelod pob un â blaen cyllell finiog, er mwyn gadael y stêm allan. Yna rhowch nhw'n ôl yn y popty â'r twll yn wynebu i fyny, a'u coginio am 5 munud arall.

Gadewch iddyn nhw oeri ar rwyll fetel.

Er mwyn gwneud y llenwad, toddwch y siocled un ai mewn micro-don neu mewn powlen dros sosban o ddŵr sy'n mudferwi, gan sicrhau nad yw'r bowlen yn cyffwrdd â'r dŵr. Gadewch iddo oeri rhywfaint. Yn y cyfamser, chwisgiwch yr hufen a'r fanila nes eu bod yn dechrau tewhau. Yna ychwanegwch y siocled wedi toddi a pharhau i gymysgu nes bod y cyfan yn drwchus.

Torrwch yr *éclairs* sydd wedi oeri yn eu hanner. Peipiwch yr hufen i'r canol cyn rhoi'r top yn ôl am eu pennau.

Er mwyn gwneud y saws siocled, toddwch y siocled yn y micro-don neu mewn powlen dros sosban o ddŵr, gan wneud yn siŵr nad yw'n cyffwrdd â'r dŵr. Ychwanegwch y siwgr eisin a'r dŵr berwedig at y siocled a chymysgu nes bod y cyfan yn llyfn.

Gorffennwch drwy daenu ychydig o'r saws siocled ar ben pob *éclair*.

Tarten afal hawdd

Mae'r darten hon mor hawdd, fe fyddwch chi'n teimlo fel petaech chi'n twyllo. Ond mae'n edrych ac yn blasu cystal ag unrhyw darten arall, felly dwi'n addo na fydd neb yn eich cyhuddo o ddiogi. Dwi wedi gwneud un darten fawr ond mae'n bosib hefyd gwneud sawl tarten fach â'r un rysáit.

2 afal coginio

1 llwy fwrdd o siwgr mân

½ llwy de o sinamon

8 afal bwyta
(tebyg i *braeburn*)

1 paced o does pwff
wedi'i rolio

2 lwy fwrdd o siwgr
gronynnog euraidd

1 wy

2 lwy fwrdd o jam bricyll

Cynheswch y popty i 220°C / Ffan 200°C / Nwy 7.

Pliciwch yr afalau coginio a'u torri'n ddarnau mân.

Rhowch nhw mewn sosban a'u stiwio â'r siwgr mân, y sinamon a llwy fwrdd o ddŵr nes eu bod nhw'n feddal. Yn y cyfamser, pliciwch yr afalau bwyta, tynnu'r canol allan a'u torri'n sleisys tenau.

Rholiwch y toes pwff yn fflat a'i roi ar dun pobi wedi'i leinio â phapur gwrthsaim. Â chyllell finiog, torrwch linell ysgafn yr holl ffordd o gwmpas y toes, rhyw hanner modfedd o'r ochr. Gofalwch nad ydych chi'n gwasgu'r gyllell reit drwy'r toes: dim ond rhyw hanner ffordd ddylech chi fynd.

Taenwch yr afal wedi'i stiwio ar hyd y toes pwff, gan osgoi'r ochr. Yna rhowch y sleisys afal mewn rhesi ar ben yr afal wedi'i stiwio, gan sicrhau eu bod nhw'n gorgyffwrdd. Chwisgiwch yr wy mewn powlen neu gwpan a brwsio'r toes ar yr ochr â'r wy.

Ysgeintiwch y siwgr gronynnog euraidd ar ben y darten gyfan, a'i rhoi yn y popty i goginio am 20–25 munud nes bod y crwst wedi codi ac yn euraidd a'r afalau'n dechrau brownio.

Unwaith mae'r darten allan o'r popty, toddwch y jam bricyll mewn sosban â llwy de o ddŵr, a'i frwsio dros yr afalau er mwyn rhoi sglein iddyn nhw.

Gweinwch â lwmp mawr o hufen iâ.

Cwpan aur

Un o fy swyddi cyntaf tra oeddwn yn yr ysgol oedd gweithio ym mwyty Dylanwad Da yn Nolgellau. Fe ddysgais i lot fawr o'r profiad. Pryd bynnag y bydda i'n mynd adre dwi wastad yn galw i weld y perchennog a'r cogydd Dylan Rowlands. Weithiau mae amser yn brin a dim ond amser am baned sydd gen i. Ond mae'n rhaid cael cwpan aur hefyd. Tarten gwstard yw hon, tebyg iawn i'r rhai rydych chi'n eu gweld ym Mhortiwgal, ac mae hi'n ogoneddus.

3 melynwy

25g o siwgr mân

20g o flawd corn

1 llwy de o rin fanila

Pinsied o saffrwm

175ml o laeth braster llawn

225ml o hufen dwbl

Paced o does pwff wedi'i rolio'n barod

Ychydig o jam bricyll i addurno

Cynheswch y popty i 200°C / Ffan 180°C / Nwy 6 ac iro tun myffins ag ychydig o fenyn.

Ysgeintiwch ychydig o flawd ar y bwrdd a rhoi'r toes pwff arno. Torrwch y toes yn hanner a rhoi un darn ar ben y llall. Yna rholiwch y toes yn sosej hir a'i dorri'n 12 darn crwn.

Rholiwch y darnau yn fflat nes eu bod nhw tua dwywaith eu maint, a'u rhoi nhw yn y tun myffins. Does dim rhaid iddyn nhw edrych yn berffaith. Yna rhowch dun myffins arall am ben y cyntaf, fel bod gwaelod y tun ar y top yn gwasgu i mewn i'r tyllau yn y gwaelod. Pwrpas hyn yw stopio'r toes rhag codi gormod.

Coginiwch am 15 munud, nes bod y crwst yn dechrau crasu.

Yn y cyfamser, rhowch weddill y cynhwysion mewn sosban a'u cynhesu'n ofalus nes bod y cyfan yn dechrau tewhau. Mae angen chwisgio'r cwstard yn gyson â chwisg law. Byddwch yn ofalus: fe fyddwch yn chwisgio am sbel ac yna bydd y cwstard yn tewhau'n sydyn iawn.

Tynnwch oddi ar y gwres yn syth, trosglwyddo'r cwstard i bowlen a'i adael i oeri am ychydig. Llenwch y cesys crwst pwff â'r cwstard a'u coginio am 20 munud arall.

Gadewch iddyn nhw oeri yn y tun, a brwsio ychydig o jam bricyll wedi'i doddi dros y top i roi sglein iddyn nhw.

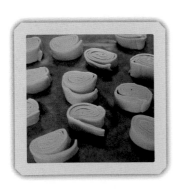

Os yw amser yn brin mae'n bosib gwneud y cwstard o flaen llaw, a'i gadw yn yr oergell.

Tarten lemon a siocled

Dyma un o fy hoff bwdinau pan dwi'n mynd allan am swper. Mae'r lemon yn golygu nad yw'n rhy felys, sy'n berffaith ar ôl pryd mawr. Dwi wedi ychwanegu crwst siocled i'r darten hon. Mae'r lliw brown tywyll yn drawiadol yn erbyn y lemon melyn ac mae'r blas yn fwy cyfoethog hefyd.

Ar gyfer y crwst siocled

175g o flawd plaen

40g o bowdr coco

Pinsied o halen

75g o siwgr eisin

125g o fenyn oer

1 melynwy

1 llwy fwrdd o ddŵr oer

Ar gyfer y llenwad lemon

5 wy

4 lemon –
y croen a'r sudd

200g o siwgr mân

125ml o hufen dwbl

Er mwyn gwneud y toes, hidlwch y blawd, y powdr coco, yr halen a'r siwgr eisin i mewn i bowlen. Torrwch y menyn yn sgwariau bach a'u rhwbio nhw i mewn i'r blawd â blaen eich bysedd nes bod y gymysgedd yn edrych fel briwsion bara. Neu, os oes gennych chi brosesydd bwyd, rhowch *whizz* iddyn nhw yn hwnnw.

Cymysgwch y melynwy a'r dŵr a'u hychwanegu at y gymysgedd i wneud toes. Os nad yw'r gymysgedd yn dod at ei gilydd, ychwanegwch ychydig bach mwy o ddŵr, ond gofalwch beidio ag ychwanegu gormod – dydych chi ddim eisiau i'r toes fod yn rhy ludiog. Yna ffurfiwch bêl â'r toes, ei lapio mewn *cling film* a'i rhoi yn yr oergell am 30 munud.

Yna taenwch ychydig o flawd ar y bwrdd a rholio'r toes i siâp cylch mawr sydd ychydig yn fwy na'ch tun ac o drwch darn punt. Tun tarten 24cm â gwaelod rhydd dwi'n ei ddefnyddio.

Defnyddiwch eich pin rholio i godi'r toes a'i osod yn y tun, gan ei wasgu i mewn i'r ochrau'n ofalus. Er mwyn cael gwared o'r toes sy'n weddill, rholiwch eich pin rholio dros dop y tun a thynnu'r toes sydd dros ben i ffwrdd. Prociwch waelod y toes â fforc cyn gadael iddo oeri eto yn yr oergell am 30 munud arall.

Pan fyddwch chi'n barod i goginio'r toes, cynheswch y popty i 180°C / Ffan 160°C / Nwy 4. Mae angen pobi'r toes cyn ychwanegu'r llenwad, a'r ffordd orau o wneud hyn yw gorchuddio'r toes ag ychydig o bapur gwrthsaim a'i lenwi â phys seramig i sicrhau na fydd y toes yn codi nac yn lleihau'n ormodol wrth goginio.

Coginiwch am 20 munud, yna tynnu'r pys a'r papur gwrthsaim a choginio'r toes am 5 munud arall.

Cyn gwneud y llenwad, trowch wres y popty i lawr i 160°C / Ffan 140°C / Nwy 4.

Gratiwch groen y lemonau mewn powlen ac ychwanegu'r sudd a'r siwgr. Cymysgwch â llwy bren nes bod y siwgr wedi toddi. Yna ychwanegwch yr wyau a'r hufen a'i gymysgu nes ei fod yn llyfn.

Rhowch y gymysgedd mewn jwg er mwyn ei thywallt i mewn i'r darten. Weithiau mae'n gallu bod yn anodd trosglwyddo'r darten i'r popty heb dywallt ei chynnwys i bob man. Er mwyn osgoi hyn, tywalltwch hanner y gymysgedd i mewn i'r darten, ei gosod ar silff yn y popty, ac yna defnyddio'r jwg i dywallt gweddill y gymysgedd nes ei bod yn llawn i'r top.

Coginiwch am tua 30–35 munud a gadael i'r darten oeri'n llwyr cyn ei thynnu o'r tun.

Tarten ffrwythau Ffrengig

Dwi wrth fy modd yn mynd ar fy ngwyliau i Ffrainc. Gyda *pâtisserie* ym mhob tref, hyd yn oed y pentref lleiaf, mae'n amhosib eu hosgoi. Mae cymaint o ddewis, ond y tartenni ffrwythau yw fy ffefrynnau, yn enwedig y rhai mefus. Yn anffodus i ni yma yng Nghymru, mae siopau bara a theisennau da yn brin, felly beth am roi cynnig ar wneud rhai o'r cacennau hyfrytaf gartref?

Ar gyfer y crwst melys

330g o flawd plaen

200g o fenyn oer

75g o siwgr mân

1 wy

1 llwy fwrdd o ddŵr oer

Ar gyfer y llenwad

150ml o laeth

150ml o hufen dwbl

4 melynwy

50g o siwgr mân

Hadau o 1 pod fanila, neu ½ llwy de o rin fanila

1 llwy fwrdd o flawd corn

Mefus neu ffrwythau eraill i addurno (mae unrhyw fath o aeron yn hyfryd, yn ogystal â mafon a chiwi)

2 lwy fwrdd o jam mefus

Hidlwch y blawd i bowlen, torri'r menyn yn ddarnau bach a'u rhwbio i mewn i'r blawd nes bod y gymysgedd yn edrych fel briwsion. Yna ychwanegwch y siwgr a'i gymysgu â llwy cyn ychwanegu'r dŵr a'r wy a chymysgu â llaw nes bod y cyfan yn dod at ei gilydd i ffurfio pelen. Tylinwch am ryw funud i sicrhau bod y toes yn llyfn, yna'i lapio mewn *cling film* a'i roi yn yr oergell am o leiaf 30 munud.

Ar ôl i'r toes oeri, rholiwch ef allan nes ei fod rhyw 4mm o drwch, cyn torri cylchoedd i ffitio'ch tuniau. Dwi'n defnyddio tuniau tartenni bach unigol sy'n 10cm ar draws â gwaelod rhydd iddyn nhw. Rhowch y toes yn y tuniau a'i wasgu'n ofalus i'r ochrau. Torrwch unrhyw does sy'n weddill trwy rolio eich pin rholio ar draws top y tun.

Rhowch y tuniau yn y rhewgell am 10 munud. Yn y cyfamser, cynheswch y popty i 180°C / Ffan 160°C / Nwy 4.

Rhowch ychydig o bapur gwrthsaim ar ben y toes, llenwi'r tuniau â phys seramig a'u rhoi yn y popty am 15 munud. Yna tynnwch y papur gwrthsaim a'r pys a choginio'r toes am 5 munud arall.

Tra bod y toes yn coginio, gwnewch y cwstard. Mewn powlen, chwisgiwch y melynwy a'r siwgr â chwisg law nes eu bod yn drwchus, cyn cymysgu'r blawd corn i'r gymysgedd â'r chwisg. Cynheswch y laeth, yr hufen a'r fanila nes ei fod yn dechrau berwi, yna tywalltwch dros yr wy a'r siwgr gan chwisgio drwy'r amser â chwisg law.

Ar ôl tynnu'r hadau o'r pod fanila, golchwch ef yn gyflym o dan y tap a'i adael i sychu ar dywel papur. Yna rhowch y pod mewn jar o siwgr mân ac fe fydd y blas yn treiddio trwy'r siwgr i greu siwgr fanila. Defnyddiwch mewn cacennau neu bwdinau yn lle siwgr arferol.

Rhowch y cyfan yn ôl yn y sosban a pharhau i goginio, gan chwisgio drwy'r amser nes bod y cwstard wedi tewhau yn sylweddol. Mae angen i'r cwstard fod yn dew, yn wahanol i'r cwstard tenau yr ydych yn ei dywallt dros bwdin. Trosglwyddwch yn syth i ddysgl lân a gadael iddo oeri, â haenen o bapur gwrthsaim wedi'i wlychu am ei ben. Fe fydd hyn yn cadw'r cwstard rhag ffurfio croen.

Pan fo'r crwst a'r cwstard wedi oeri gallwch lenwi'r cesys â'r cwstard a'u haddurno â ffrwythau o'ch dewis. Er mwyn rhoi sglein i'ch ffrwythau, toddwch y jam mefus mewn sosban a'i frwsio dros y ffrwythau.

Tarten siocled a charamel hallt

Ar hyn o bryd mae gen i ychydig bach o obsesiwn â rhoi halen mewn pethau melys. Mae ychwanegu halen môr at garamel neu siocled yn dwysáu'r blas ac yn cyferbynnu'n hyfryd â'r melystra. Gallwch wneud un darten fawr neu nifer o rai bychain â'r rysáit hon.

Ar gyfer y crwst siocled

Gweler y rysáit Tarten lemon a siocled, t.62

Ar gyfer y caramel

150g o siwgr gronynnog

1 llwy fwrdd o glwcos hylifol (*liquid glucose*)

150ml o hufen dwbl

10g o fenyn

1 llwy de o halen môr

Ar gyfer y llenwad siocled

200ml o hufen dwbl

45ml o fêl

40g o fenyn

225g o siocled tywyll wedi'i dorri'n fân

Cynheswch y popty i 180°C / Ffan 160°C / Nwy 4.

Paratowch y crwst siocled gan ddilyn y cyfarwyddiadau ar t.62.

Wedi i'r toes fod yn yr oergell am 30 munud, ysgeintiwch ychydig o flawd ar y bwrdd a rholio'r toes nes ei fod yr un mor drwchus â darn punt ac ychydig yn fwy na maint y tun neu'r tuniau tarten. Rhowch y toes yn y tun a'i wasgu i'r ochrau'n ofalus. Torrwch unrhyw does sy'n weddill i ffwrdd drwy rolio eich pin rholio dros ben y tun. Rhowch ddarn o bapur gwrthsaim yn y tun a'i lenwi â phys seramig.

Os ydych yn gwneud un darten fawr, coginiwch hi am 20 munud cyn tynnu'r pys a'r papur gwrthsaim allan a rhoi'r darten yn ôl yn y popty am 5 munud arall. Os ydych yn gwneud tartenni bychain, coginiwch nhw am 10–12 munud a 5 munud arall heb y pys seramig. Gadewch i'r crwst oeri yn y tun ar rwyll fetel.

Yn y cyfamser, gwnewch y caramel hallt trwy roi'r siwgr a'r glwcos mewn sosban ar dymheredd cymedrol. Defnyddiwch sosban â gwaelod trwchus ar gyfer hyn. Gwnewch yn siŵr nad ydych yn troi'r siwgr tra'i fod yn toddi neu fe fydd lympiau mawr yn ffurfio yn y caramel. Fe gewch chi ysgwyd tipyn bach ar y sosban os oes angen.

Pan fo'r siwgr wedi toddi i gyd ac yn edrych yn euraidd, tynnwch y sosban oddi ar y gwres yn syth ac ychwanegu'r halen a hanner yr hufen. Mae angen bod yn ofalus gan fod y siwgr yn boeth iawn ac fe fydd yn byrlymu'n ffyrnig pan fyddwch yn ychwanegu'r hufen.

Ar ôl iddo setlo ychwanegwch weddill yr hufen a'r menyn wedi'i dorri'n ddarnau bach. Cymysgwch y cyfan â llwy bren nes ei fod yn llyfn. Os yw'n lympiog nawr, rhowch yn ôl ar y gwres am ychydig funudau a'i droi nes ei fod yn llyfn. Tywalltwch i jwg i oeri.

Unwaith y bydd wedi oeri, tywalltwch y caramel ar hyd gwaelod y crwst siocled a'i roi yn yr oergell tra eich bod yn gwneud y llenwad siocled.

I wneud y llenwad, torrwch y siocled yn ddarnau mân a'u rhoi mewn powlen. Cynheswch yr hufen a'r mêl mewn sosban nes ei fod bron â dod i'r berw ac yna ei dywallt dros y siocled. Gadewch am funud neu ddau cyn eu cymysgu'n ofalus. Cyn gynted ag y bydd y cyfan yn llyfn ychwanegwch y menyn a chymysgu nes bod y menyn wedi toddi'n llwyr.

Tynnwch y darten o'r oergell a'i llenwi â'r gymysgedd siocled. Gadewch iddi setio ar dymheredd ystafell am ychydig oriau cyn ei gweini.

Mae glwcos hylifol yn stopio'r caramel rhag crisialu, ond dydy hi ddim yn ddiwedd y byd os nad ydych yn gallu cael gafael arno.

Mazariner

Dyma rysáit dwi wedi'i chael gan fy ffrind Pia yn Sweden. Fel sawl pwdin o Sweden, mae'r rhain yn cynnwys marsipán, sydd byth yn beth drwg yn fy marn i! Maen nhw'n debyg i dartenni Bakewell ond nid sbwnj sydd yn y canol ond past wedi'i wneud â marsipán, menyn ac wyau.
Mae'r rhain yn bell o fod yn sych ac felly'n cadw am amser go hir.

Ar gyfer y crwst melys
330g o flawd plaen
200g o fenyn oer
75g o siwgr mân
1 wy
1 llwy fwrdd o ddŵr oer

Ar gyfer y llenwad
400g o farsipán
200g o fenyn
5 wy

Ar gyfer yr eisin
200g o siwgr eisin
1 llwy fwrdd o sudd lemon
25ml o ddŵr

Hidlwch y blawd i bowlen, torri'r menyn yn ddarnau bach a'u rhwbio i mewn i'r blawd nes bod y gymysgedd yn edrych fel briwsion.

Yna ychwanegwch y siwgr a chymysgu â llwy. Ychwanegwch y dŵr a'r wy a chymysgu â llaw nes bod y toes yn dod at ei gilydd i ffurfio pelen.

Tylinwch y toes am ryw funud i sicrhau ei fod yn llyfn, yna'i lapio mewn *cling film* a'i roi yn yr oergell am o leiaf 30 munud.

Ar ôl i'r toes oeri rholiwch ef allan nes ei fod yn rhyw 4mm o drwch a thorri cylchoedd i ffitio eich tuniau. Dwi'n defnyddio nifer o duniau tartenni bach 10cm â gwaelod rhydd. Rhowch y toes yn y tuniau gan ei wasgu i mewn i'r ochrau'n ofalus, a thorri unrhyw does sy'n weddill drwy rolio'r pin rholio ar draws top y tun.

Rhowch y tuniau yn y rhewgell am 10 munud. Yn y cyfamser, cynheswch y popty i 180°C / Ffan 160°C / Nwy 4.

Rhowch ychydig o bapur gwrthsaim ar ben y toes, llenwi'r tuniau â phys seramig a'u coginio yn y popty am 15 munud. Yna tynnwch y papur gwrthsaim a'r pys, a choginio'r tartenni am 5 munud arall.

Tra bod y toes yn coginio, gratiwch y marsipán i mewn i bowlen a'i gymysgu â'r menyn â chwisg drydan. Yna ychwanegwch yr wyau, un ar y tro, gan gymysgu'n llwyr â'r chwisg rhwng pob un. Os bydd y gymysgedd yn ceulo, cynheswch hi yn y micro-don am ychydig eiliadau a chymysgu eto.

Llenwch y tuniau nes eu bod nhw'n ¾ llawn a phobi am 10 munud. Gadewch iddyn nhw oeri cyn tynnu'r tartenni o'r tuniau'n ofalus.

Er mwyn gwneud yr eisin, cymysgwch y siwgr eisin, y sudd lemon a'r dŵr mewn sosban a'i gynhesu nes bod y siwgr eisin yn toddi. Yna gorchuddiwch dop y tartenni â'r eisin a'i adael i setio.

Amser te

Bydd unrhyw un sy'n fy adnabod yn dweud wrthych fy mod i'n hoffi te cymaint â dwi'n hoffi cacennau. A dweud y gwir, dwi'n yfed llawer gormod o de, a hwnnw'n de cryf. Fe ddywedodd Nain wrtha i unwaith, wrth weld lliw tywyll fy nhe, y byddai'n gwneud fy nhu mewn i gyd yn frown. Wel, trwy lwc i mi, dwi ddim yn gallu gweld fy nhu mewn, felly fe ga i barhau i lowcio te cryf fel y mynna i!

Ond does yna ddim byd gwell i fynd gyda phaned dda na darn mawr o gacen. A dweud y gwir, te prynhawn yw fy hoff bryd i – os ydy o'n cyfri fel pryd. Fe fyddai'n well gen i fynd allan am de prynhawn blasus nag am swper neu ginio arbennig. Dwi wrth fy modd yn mynd i westai crand yn Llundain i fwynhau te mewn tebot arian, brechdanau heb grystiau, sgons a jam a chacennau bach del, i gyd wedi'u gweini mewn tŵr mawr. Ond dwi hefyd yn caru mynd i gaffi lleol gyda fy ffrindiau i ddal fyny â hanes pawb gyda phot mawr o de a darn o gacen yn gwmni.

Dwi wedi cynnwys clasuron te prynhawn fel cacen Fictoria a sgons yn y bennod hon, ond mae yma hefyd ryseitiau gwahanol fel y gacen polenta a phistasio, sy'n gacen heb glwten, neu'r hyni byns, rysáit arbennig iawn yn Nolgellau.

Does dim rhaid yfed paned gyda'r rhain, ond dwi'n credu bod hynny'n helpu! Does dim byd gwell yn fy nhŷb i.

Cacen Fictoria

Does yna'r un te prynhawn yn gyflawn heb gacen Fictoria. Dwi ddim yn siŵr am Ferched y Wawr ond mae gan y WI reolau llym ynglŷn â sut mae gwneud cacen Fictoria. Jam yn unig sydd i fod yn y canol a dim byd ond llond llwy o siwgr ar y top. Wel, fydd fy nghacen i ddim yn eu plesio – mae'n llawn jam, hufen a mefus – ond dyna'r math o reolau dwi'n licio eu torri!

4 wy
230g o flawd codi
230g o fenyn
230g o siwgr mân
1 llwy de o rin fanila

Ar gyfer y llenwad
500ml o hufen dwbl
2 lwy fwrdd o siwgr eisin
1 llwy de o rin fanila
Jam mefus
Mefus

Cynheswch y popty i 180°C / Ffan 160°C / Nwy 4. Irwch ddau dun crwn â menyn a leinio'r gwaelod â phapur gwrthsaim.

Cymysgwch y menyn am funud â chwisg drydan, yna ychwanegu'r siwgr mân yn raddol a chwisgio am 4–5 munud arall. Ychwanegwch y fanila a chymysgu'r cyfan â chwisg.

Nawr ychwanegwch yr wyau, un ar y tro. Mae'n bwysig gwneud yn siŵr eich bod chi'n cymysgu'n drwyadl â chwisg drydan ar ôl ychwanegu pob un. Os ydych yn poeni bod y gymysgedd yn mynd i geulo, ychwanegwch lwy fwrdd o flawd ar ôl cymysgu pob wy. Hidlwch y blawd a'i blygu i mewn i'r gymysgedd yn ofalus â llwy neu *spatula*.

Rhannwch y gymysgedd yn hafal rhwng y ddau dun a'u pobi am 25 munud nes eu bod yn dechrau brownio a bod sgiwer yn dod allan yn lân. Gadewch yn y tun am ryw 5 munud, ac yna rhoi'r cacennau ar rwyll fetel i oeri'n llwyr.

Chwisgiwch yr hufen, y fanila a'r siwgr eisin nes ei fod yn drwchus.

Unwaith y bydd y cacennau wedi oeri, gorchuddiwch un hanner â jam mefus, y mefus ffres a'r hufen, gosod yr ail gacen am ei ben a'i ysgeintio ag ychydig o siwgr mân.

I wneud y sbwnj yma, mae angen yr un faint (mewn pwysau) o wyau, siwgr, blawd a menyn. Felly os ydych yn ddigon lwcus i gael wyau ffres o ffarm leol, ac o ganlyniad yn ansicr o'u maint, yna pwyswch yr wyau'n gyntaf ac yna pwyso yr un faint o flawd, menyn a siwgr.

Sgons

I mi, dydy sgon ddim yn sgon heb syltanas ond os nad ydych chi'n eu hoffi does dim rhaid eu cynnwys. Mae'r rysáit hon yn defnyddio iogwrt plaen yn hytrach na llaeth gan ei fod, yn fy marn i, yn gwneud y sgons yn ysgafn iawn. Byddwch yn ofalus i beidio â chwarae gormod gyda'r toes, rhag gwneud y sgons yn drwm.

230g o flawd codi
1 llwy de o bowdr codi
Pinsied o halen
50g o fenyn
2 lwy fwrdd o siwgr mân
50g o syltanas
1 wy
120ml o iogwrt plaen

Cynheswch y popty i 220°C / Ffan 200°C / Nwy 7 a leinio tun pobi â phapur gwrthsaim.

Hidlwch y blawd, y powdr codi a'r halen i bowlen. Torrwch y menyn yn ddarnau bach a'u rhwbio i mewn i'r blawd nes bod y gymysgedd yn edrych fel briwsion. Ychwanegwch y siwgr a'r syltanas a chymysgu â llwy. Gwnewch dwll ynghanol y gymysgedd ac ychwanegu'r wy a'r iogwrt. Cymysgwch â chyllell (er mwyn osgoi gorgymysgu) nes bod gennych does meddal.

Ysgeintiwch ychydig o flawd ar y bwrdd a thylino'r toes am ryw 10 eiliad nes ei fod yn llyfn. Rholiwch y toes allan nes ei fod yn fodfedd o drwch. Torrwch gylchoedd â thorrwr 5cm a'u gosod ar y tun pobi. Aildylinwch y toes sydd ar ôl a thorri mwy o gylchoedd.

Brwsiwch dop y sgons ag ychydig o laeth a phobwch am 12–15 munud, nes eu bod wedi codi ac yn euraidd. Gadewch nhw i oeri ar rwyll fetel.

Bwytewch â digon o fenyn a jam a hyd yn oed ychydig o hufen os ydych chi eisiau.

Wrth dorri'r toes gwasgwch y torrwr yn syth i lawr, heb ei droi. Fe fydd hyn yn helpu'r sgons i godi'n syth i fyny.

Cacen afal sbeislyd

Mae'r gacen hon yn berffaith i'r hydref neu'r gaeaf; mae'r sbeisys yn ychwanegu cynhesrwydd cysurus. Mae hi'n cadw'n dda hefyd, gan fod yr afalau a'r surop masarn yn sicrhau bod y gacen yn aros yn llaith. Ond wir i chi, dydy hi ddim yn para diwrnod yn ein tŷ ni, gan ei bod mor flasus.

200g o afalau bwyta wedi'u plicio a'u torri'n ddarnau

150g o fenyn

200g o siwgr brown golau

230g o flawd codi

1 llwy de o bowdr codi

2 wy

Pinsied o halen

½ llwy de o sbeis cymysg

½ llwy de o nytmeg wedi'i gratio

½ llwy de o sinsir mâl

1 llwy de o sinamon

2 lwy fwrdd o surop masarn (*maple syrup*)

Cynheswch y popty i 160°C / Ffan 140°C / Nwy 3.

Mewn padell ffrio, toddwch ddarn bach o fenyn ac ychwanegu'r afalau, y sbeis cymysg, y nytmeg, y sinsir a'r sinamon a'u ffrio am ychydig funudau. Tynnwch oddi ar y gwres a'u rhoi i un ochr.

Irwch dun crwn 20cm ag ochr â chlo sbring a leinio'r gwaelod â phapur gwrthsaim.

Chwisgiwch y menyn a'r siwgr am 4–5 munud nes bod y gymysgedd yn edrych yn olau ac yn teimlo'n ysgafn. Ychwanegwch yr wyau un ar y tro, gan guro pob un yn drwyadl â'r chwisg drydan. Hidlwch y blawd, y powdr codi a'r halen a'u plygu i mewn i'r gymysgedd yn ofalus â llwy. Yna cymysgwch yr afalau i mewn â llwy.

Rhowch y gymysgedd yn y tun a'i phobi am awr, neu nes bod sgiwer yn dod allan o'r gacen yn lân. Tywalltwch y surop masarn dros y gacen a gadael iddi oeri yn y tun.

Bwytewch hi fel ag y mae, neu ei hailgynhesu a'i bwyta â hufen iâ neu gwstard.

Hyni byns

Mae hyni byns yn enwog yn Nolgellau. Maggie ac Evan yn siop Popty'r Dref oedd yn eu gwneud nhw, ac roedd y plât mawr o 'hyni' byns mor boblogaidd nes eu bod nhw wedi mynd erbyn diwedd amser cinio. Roedd Dad yn prynu rhai i ni bob bore Sadwrn, ac ar ôl i mi adael Dolgellau y peth cyntaf ro'n i eisiau ei flasu ar ôl dod adre oedd hyni byns. Er mawr colled i Ddolgellau, mae siop Popty'r Dref wedi cau a'r hyni byns wedi mynd yn ei sgil. Ond ces syniad bras o'r rysáit gan Maggie ac Evan ac felly dyma fy ymdrech i. Er gwaetha'r enw, does yna ddim mêl o gwbl ynddyn nhw!

100g o fenyn
300ml o laeth
600g o flawd bara cryf
100g o siwgr mân
2 baced 7g o furum sych
1 llwy de o halen
1 wy

Ar gyfer y llenwad
150g o fenyn meddal
150g o siwgr brown

Toddwch y menyn mewn sosban ac ychwanegu'r llaeth. Cynheswch i 37°C; os nad oes gennych thermomedr, dylai fod yn gynnes ond ddim yn boeth. Os ydych yn gallu rhoi eich bys ynddo fe ddylai fod yn iawn, ond gofalwch nad yw'n rhy boeth gan y bydd gormod o wres yn lladd y burum.

Mewn powlen fawr, cymysgwch y blawd, y siwgr, yr halen a'r burum â llwy neu â llaw. Ychwanegwch yr wy ac yna'r llaeth a'r menyn a'u cymysgu nes eu bod yn ffurfio toes reit wlyb.

Rhowch ychydig bach o flawd (dim gormod) neu olew ar y bwrdd a thylino'r toes am 10 munud nes ei fod yn llyfn, neu os oes gennych beiriant cymysgu defnyddiwch y bachyn tylino.

Rhowch y toes mewn powlen wedi'i hiro ag olew a'i gorchuddio â *cling film*. Gadewch i'r toes godi mewn lle cynnes am awr neu nes ei fod wedi dyblu mewn maint (os yw hi'n ddiwrnod oer fe allai hyn gymryd ychydig yn hwy).

Yna cynheswch y popty i 200°C / Ffan 180°C / Nwy 6.

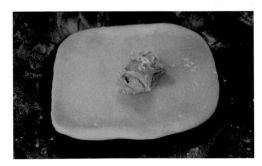

I wneud y llenwad, cymysgwch y menyn a'r siwgr nes eu bod yn ffurfio past meddal, yna rhannwch y toes yn 8–10 darn.

Ysgeintiwch ychydig o flawd ar y bwrdd a rholio un o'r darnau yn siâp petryal. Rhowch lond llwy de o'r menyn a'r siwgr yn y canol a phlygu'r toes tuag atoch chi i ffurfio triongl. Defnyddiwch eich bawd i wasgu'r toes i lawr yn galed ar y ddwy gornel sydd wedi dod at ei gilydd.

Nawr rhowch lwyaid arall o'r menyn a'r siwgr yn y canol a phlygu'r toes tuag atoch chi i ffurfio triongl. Eto, gwasgwch y gornel i lawr yn galed â'ch bawd. Rhowch y byns ar ddau dun pobi wedi'u leinio â phapur gwrthsaim.

Pobwch am 15–20 munud nes eu bod nhw'n dechrau brownio. Peidiwch â phoeni os yw'r siwgr a'r menyn yn dianc wrth doddi, dyna sydd i fod i ddigwydd! Gadewch iddyn nhw oeri ac ysgeintio ychydig o siwgr eisin drostyn nhw.

Byns Chelsea

Mae'r rhain yn defnyddio'r un toes â hyni byns, ond mae eu golwg a'u blas yn hollol wahanol. Yn aml byddaf yn gwneud y ddau ar unwaith, gan ddefnyddio hanner y toes i wneud yr hyni byns a'r hanner arall ar gyfer byns Chelsea. Dwi'n licio byns Chelsea yn grimp ar y tu allan ond yn ysgafn a meddal yn y canol.

100g o fenyn
300ml o laeth
600g o flawd bara cryf
100g o siwgr mân
2 baced 7g o furum sych
1 llwy de o halen
1 wy

Ar gyfer y llenwad
150g o fenyn meddal
150g o siwgr brown
200g o resins neu syltanas

1 wy wedi'i guro i addurno

Toddwch y menyn mewn sosban, ac ychwanegu'r llaeth. Cynheswch i 37°C; os nad oes gennych thermomedr, dylai fod yn gynnes ond ddim yn boeth. Os ydych yn gallu rhoi eich bys ynddo, fe ddylai fod yn iawn, ond gofalwch nad yw'n rhy boeth gan y bydd gormod o wres yn lladd y burum.

Mewn powlen fawr, cymysgwch y blawd, y siwgr, yr halen a'r burum. Ychwanegwch yr wy ac yna'r llaeth a'r menyn a chymysgu un ai â llwy neu â llaw i ffurfio toes reit wlyb.

Rhowch ychydig bach o flawd (dim gormod) neu olew ar y bwrdd a thylino'r toes am 10 munud nes ei fod yn llyfn, neu os oes gennych beiriant cymysgu defnyddiwch y bachyn tylino.

Rhowch y toes mewn powlen wedi'i hiro ag olew a'i gorchuddio â *cling film*. Gadewch i'r toes godi mewn lle cynnes am awr, neu nes ei fod wedi dyblu mewn maint.

I wneud y llenwad, cymysgwch y menyn a'r siwgr nes eu bod yn ffurfio past meddal.

Ysgeintiwch ychydig o flawd ar y bwrdd a rholio'r toes yn betryal mawr. Taenwch y menyn a'r siwgr drosto, ac yna'r rhesins neu syltanas. Gan ddechrau â'r ochr hiraf, rholiwch y toes i greu sosej fawr, a'i thorri'n ddarnau modfedd o faint.

Leiniwch dun mawr â phapur gwrthsaim a rhoi'r byns mewn rhesi arno, fel eu bod bron â bod yn cyffwrdd. Gorchuddiwch nhw â lliain sychu llestri a'u gadael am ryw hanner awr nes eu bod wedi codi unwaith eto.

Cynheswch y popty i 200°C / Ffan 180°C / Nwy 6. Brwsiwch ychydig o wy wedi'i guro am eu pennau, eu hysgeintio â siwgr demerara a'u pobi am 20–25 munud nes eu bod wedi brownio ar y top.

Tynnwch o'r tun gan adael y papur gwrthsaim oddi tanyn nhw a'u rhoi ar rwyll fetel i oeri.

Os oes gennych fyns sydd wedi gweld dyddiau gwell, cynheswch nhw am ychydig eiliadau yn y micro-don, eu torri'n hanner a'u taenu â menyn.

Cacen lemon a llus

Dyma'r gacen y bydd fy nghyd-weithwyr a'm ffrindiau yn gofyn amdani dro ar ôl tro. Mae'r gacen lemon hon yn llawn o lus bach piws ac mae'r surop siwgr a lemon sy'n cael ei dywallt dros y sbwnj yn sicrhau bod y gacen yn aros yn llaith yn ogystal â rhoi cic ychwanegol o lemon iddi.

100g o fenyn
175g o siwgr mân
2 wy
175g o flawd codi
4 llwy fwrdd o laeth
Croen 1 lemon wedi'i gratio
Pinsied o halen
70g o lus

Ar gyfer y surop
Sudd 1½ lemon (tua 4 llwy fwrdd)
100g o siwgr mân

Cynheswch y popty i 180°C / Ffan 160°C / Nwy 4.

Cymysgwch y siwgr a'r menyn am 4–5 munud nes ei fod yn edrych yn olau ac yn teimlo'n ysgafn. Ychwanegwch yr wyau un ar y tro gan gymysgu pob un yn drwyadl â'r chwisg cyn ychwanegu'r nesaf. Ychwanegwch y croen lemon wedi'i gratio a'i gymysgu eto â'r chwisg.

Hidlwch y blawd a'r halen yna'u plygu i mewn i'r gymysgedd un ai â llwy neu â *spatula* plastig. Ychwanegwch y llaeth a'i gymysgu â llwy neu *spatula*, cyn cymysgu'r llus i mewn yn ofalus.

Yna tywalltwch y gymysgedd i dun bara. Dwi'n defnyddio un silicon ar gyfer y rysáit hon, gan nad ydy o byth yn sticio hyd yn oed ar ôl ychwanegu'r surop. Os nad oes gennych un o'r rhain, gwnewch yn siŵr eich bod chi'n iro a leinio'r tun yn dda â phapur gwrthsaim.

Pobwch y gacen am 45 munud, nes ei bod yn hyfryd ac yn frown a bod sgiwer yn dod allan yn lân.

Cyn gynted ag y bydd y gacen allan o'r popty, rhowch y sudd lemon a'r siwgr mân mewn sosban a'u cynhesu nes bod y siwgr yn toddi.

Gwnewch ryw ddwsin o dyllau yn y gacen â sgiwer neu gyllell – mae angen tyllu'n eithaf dwfn ond heb fynd yr holl ffordd i'r gwaelod. Yna tywalltwch y surop dros y gacen i gyd. Gwnewch yn siŵr bod y canol yn cael cyfle i amsugno'r surop yn ogystal â'r ochrau.

Gadewch y gacen i oeri'n llwyr yn y tun.

Cacen oren, pistasio a pholenta

Y dyddiau hyn mae llawer mwy o bobl yn gofyn am gacennau heb glwten, ac felly ro'n i'n meddwl ei bod hi'n bwysig cynnwys un yn y llyfr hwn. Dwi wedi cyfuno blasau'r Dwyrain Canol – oren, pistasio a rhosyn – gyda chacen bolenta Eidalaidd. Mae'r gacen orffenedig yn ddwys, yn llaith ac yn llawn blas, ac fe fyddwch chi'n anghofio'n syth bod hon yn gacen heb glwten – a dweud y gwir, mae'n un o fy hoff ryseitiau.

200g o fenyn
200g o siwgr mân
3 wy
100g o bolenta mâl
75g o almonau mâl
100g o gnau pistasio heb halen
1½ llwy de o bowdr codi
Sudd 1 oren
50g o siwgr eisin
2 lwy de o ddŵr rhosod

I addurno
30g o gnau pistasio
1 llwy fwrdd o fêl

Cynheswch y popty i 160°C / Ffan 140°C / Nwy 3. Irwch a leinio tun crwn dwfn.

Chwisgiwch y menyn am funud, ychwanegu'r siwgr mân a chwisgio am 4 munud arall. Ychwanegwch yr wyau un ar y tro, gan sicrhau eich bod yn cymysgu pob un yn drwyadl â'r chwisg cyn ychwanegu'r nesaf.

Yna malwch y cnau pistasio'n fân mewn prosesydd bwyd. Ychwanegwch y cnau pistasio, y polenta, yr almonau mâl a'r powdr codi at y gymysgedd a chymysgu'n ofalus â llwy neu *spatula* plastig. Tywalltwch i'r tun a phobi am awr.

Rhowch y sudd oren, y dŵr rhosod a'r siwgr eisin mewn sosban a'u cynhesu nes bod y siwgr eisin wedi toddi'n llwyr. Yna tywalltwch dros dop y gacen a gadael iddi oeri'n llwyr yn y tun.

Cyn gweini, torrwch 30g o bistasios yn fras a'u gosod ar ben y gacen; gweinwch ag ychydig o fêl am ei phen.

Gallwch brynu dŵr rhosod yn y rhan fwyaf o archfarchnadoedd mawr, neu triwch eich deli lleol.

Cacen siocled foethus

Dydy hon ddim yn gacen siocled i'w bwyta bob wythnos; mae hi'n gyfoethog iawn a dwi ddim eisiau meddwl am y calorïau! Ond mae hi'n berffaith ar gyfer achlysur arbennig, a dyma'r gacen wnes i ar gyfer pen-blwydd fy nhad yn 60.

100g o fenyn
280g o siwgr mân
3 wy
2 lwy de o rin fanila
180g o flawd codi
50g o bowdr coco
1 lwy de o bowdr codi
100ml o laeth enwyn

I addurno
600ml o hufen dwbl
350g o siocled llaeth

Cynheswch y popty i 180°C / Ffan 160°C / Nwy 4 ac iro a leinio dau dun crwn 20cm.

Curwch y siwgr a'r menyn â chwisg drydan am o leiaf 4 munud nes bod y gymysgedd yn edrych yn olau ac yn teimlo'n ysgafn. Ychwanegwch yr wyau, un ar y tro, gan guro pob un yn drwyadl â'r chwisg cyn ychwanegu'r nesaf. Ychwanegwch y fanila a chymysgu.

Cymysgwch y blawd, y powdr codi a'r powdr coco, hidlo eu hanner i mewn i'r gymysgedd a phlygu'r cyfan yn ofalus â llwy. Ychwanegwch hanner y llaeth enwyn a chymysgu eto â llwy. Ailadroddwch â gweddill y blawd a gweddill y llaeth enwyn.

Rhannwch rhwng y ddau dun a'u pobi am 30 munud nes bod y sbwnj yn bownsio'n ôl pan fyddwch yn ei gyffwrdd. Rhowch ar rwyll fetel i oeri, gan dynnu'r cacennau allan o'r tuniau ar ôl rhyw 10 munud.

Yn y cyfamser, paratowch y *ganache*. Torrwch 300g o'r siocled yn ddarnau mân a'u rhoi mewn powlen. Cynheswch 300ml o'r hufen nes ei fod yn dod i'r berw a'i dywallt dros y siocled. Gadewch am funud cyn cymysgu'n ofalus â *spatula* plastig nes bod y cyfan yn llyfn. Rhowch i un ochr i oeri a thewhau. Rydych chi eisiau iddo fod yn ddigon trwchus i'w ledaenu dros y gacen: rhowch yn yr oergell os ydych ar frys!

Pan fo'r *ganache* yn ddigon trwchus gallwch baratoi'r hufen. Toddwch weddill y siocled (50g) mewn micro-don neu mewn powlen dros sosban o ddŵr a'i adael i oeri rhywfaint. Chwisgiwch weddill yr hufen (300ml) nes ei fod yn dechrau tewhau, yna ychwanegu'r siocled a pharhau i chwisgio nes bod y cyfan yn drwchus.

Nawr gallwch addurno'r gacen. Gosodwch un o'r cacennau siocled ar blât a thaenu'r hufen siocled ar ei ben. Yna gosodwch yr ail gacen ar ei phen, â'i phen i lawr fel bod yr ochr fflat ar y top.

Nesaf taenwch y *ganache* siocled ar ben ac ar hyd ochrau'r gacen. Dechreuwch â haenen denau i sicrhau na fydd briwsion ar du allan y gacen orffenedig. Gadewch iddo setio rhywfaint cyn ychwanegu haen arall o'r *ganache* ar ei ben gan ei esmwytho â chyllell balet. Addurnwch â pheli siocled neu ddarnau o siocled.

Os ydych eisiau gwneud cacen lai cyfoethog ar gyfer bob dydd gwnewch lenwad o hufen menyn siocled (gweler y rysáit Cacennau bach siocled, t.22) a gadael y top a'r ochrau'n blaen.

Cacen Hywel Swstryn

Toddi 2 oz marg
Ychwanegu 8 owns blawd codi
4 owns siwgr
4 owns ffrwythau
Pinsied o halen
1 wy gyda llefrith i wneud ¼ pt.
(180°C)
Crasu ar 350° am 20 munud
a 300° am ~~¾~~ awr.
(150C) 35 mins ~~(hours)~~

Ychwanegu
1) Sudd oren a'r Croen
2) Marmalade
3) Mixed spice (1 lwyaid level)

Cacen Ifmyglian

4 owns mar...
Cwpaned o lef...
  "   "   Si...
Pwys o ffrwythau
Berwi'n cwbl

Ychwanegu
2 wy
8 owns bla...
¼ llwy de
¼ "   "

Crasu
140° am
Tin 9" + 4"

Hen ffefrynnau

Wrth ddechrau meddwl am ryseitiau ar gyfer y llyfr hwn, y peth cyntaf wnes i oedd troi at fy nheulu. Mae gan bob teulu ei ryseitiau ei hun, ac mae'r un peth yn wir am fy nheulu i. Mae rhai ryseitiau wedi cael eu sgwennu ar bapur, tra bod eraill ddim ond yn cael eu cadw ar gof a chadw. Doedd fy mam-gu ddim yn gorfod sgwennu ei rysáit hi ar gyfer cacs bach – roedd greddf a theimlad yn dweud wrthi sut i'w gwneud. Ond diolch byth bod gan fy nhad a fy modryb y rysáit i'w rhannu â mi. Mae'r cacs bach, neu gacennau cri i bawb arall, yn un o hoff ryseitiau ein teulu ni, ac mae gen i domen o atgofion o helpu fy nhad neu fy modryb i'w gwneud nhw dros y blynyddoedd. Does yna neb yn gwneud eu gwell yn fy marn i.

Mae fy nain (mam fy mam) yn cadw ei hoff ryseitiau hi mewn llyfr nodiadau bach glas (llyfr sy'n amlwg wedi cael lot o ddefnydd yn ôl golwg y tudalennau brown a bregus). O'r llyfr hwn y daw'r ryseitiau bara brith, cacen geirios a chacen ferwi, a byddwn wedi gallu cynnwys llawer mwy. Mae Nain yn gymaint o ysbrydoliaeth i mi, a wastad wedi bod yn gefnogol iawn i mi wrth goginio, felly dwi'n falch iawn o gael rhannu rhai o'i ryseitiau.

Ces hefyd rai ryseitiau gan deulu fy nghariad, Johny, yn Iwerddon. Mae'r gacen Guinness yn benodol yn werth ei thrio, er dwi'n meddwl fy mod wedi codi gwrychyn ei deulu drwy roi eisin gwyn ar ei phen yn hytrach nag eisin siocled fel maen nhw'n ei wneud!

Bara brith Nain

Mae yna ddau fath gwahanol iawn o fara brith yng Nghymru, un sy'n cael ei wneud â burum ac sy'n debyg iawn i fara â ffrwythau ynddo, a'r un arall sy'n debycach i gacen ac sy'n cael ei wneud trwy socian y ffrwythau mewn te. Y gacen de yw fy ffefryn i, a dyma rysáit fy nain i. Mae'r te'n cadw'r gacen yn llaith, ond dwi'n dal i gredu bod rhaid ei gweini â haenen dew o fenyn hallt.

225g o ffrwythau sych cymysg

180ml o de oer

225g o flawd codi

pinsied o halen

115g o siwgr brown meddal

1 wy

Gwnewch de cryf a'i adael i oeri. Dwi'n defnyddio 2–3 bag ac yn gadael iddo stiwio â'r bagiau te yn dal ynddo. Mwydwch y ffrwythau yn y te dros nos.

Y diwrnod canlynol, cynheswch y popty i 170°C / Ffan 150°C / Nwy 4 ac iro a leinio tun bara â phapur gwrthsaim.

Cymysgwch yr wy a'r ffrwythau ac ychwanegu'r siwgr. Hidlwch y blawd a'r halen i'r gymysgedd a chymysgu'r cyfan â llwy.

Rhowch yn y tun a'i bobi am awr. Gadewch i'r bara brith oeri ar rwyll fetel.

Cacs bach Mam-gu

Welshcakes, pice ar y maen, cacennau cri . . . mae yna gymaint o enwau gwahanol arnyn nhw, ond cacs bach ydyn nhw i ni, a dwi o'r farn mai rysáit fy mam-gu yw'r un orau yn y byd. Fel plentyn, dwi'n cofio eu gwneud gyda fy nhad neu fy modryb Llinos, a bob tro fe fyddwn i'n llenwi fy mol â'r toes cyn ei goginio. Yn ôl Dad, doedd Mam-gu ddim yn defnyddio rysáit, dim ond taflu'r cynhwysion i bowlen nes bod y cyfan yn edrych yn iawn. Ond dyma'r rysáit mae Dad yn ei defnyddio nawr ac, yn ôl Dad, mae'n 'ddigon agos' at yr hyn roedd Mam-gu yn ei wneud.

450g o flawd codi
115g o fenyn
115g o lard
140g o siwgr mân
115g o syltanas
1 wy
Sblash o laeth

Torrwch y menyn a'r lard yn ddarnau bach a'u rhwbio i mewn i'r blawd nes bod y cyfan yn edrych fel briwsion. Ychwanegwch y siwgr, y syltanas a'r wy a'u cymysgu nes eu bod yn ffurfio pelen o does. Ychwanegwch sblash o laeth os yw'n rhy sych.

Ysgeintiwch ychydig o flawd ar y bwrdd a rholio'r toes allan nes ei fod yn rhyw ¼ modfedd o drwch. Yna torrwch gylchoedd â thorrwr toes.

Cynheswch y radell a'i rhwbio ag ychydig o fenyn. Yna rhowch eich cylchoedd ar y radell a'u coginio am ryw 2–3 munud ar bob ochr.

Tynnwch oddi ar y rhadell a'u hysgeintio ag ychydig bach o siwgr. Gadewch iddyn nhw oeri ar rwyll fetel.

Triwch beidio â'u bwyta i gyd ar unwaith, er dwi'n addo y bydd hynny'n anodd iawn – 2–4 ar y tro sy'n arferol yn ein teulu ni!

Dylid coginio'r rhain ar radell haearn ond os nad oes gennych radell haearn mae'n bosib eu gwneud mewn padell ffrio drom hefyd.

Cacen Guinness

Efallai fod Guinness yn swnio fel peth od i'w roi mewn cacen, ond wir i chi mae'n gwneud synnwyr perffaith pan fyddwch chi'n profi'r gacen orffenedig! Mae'r Guinness yn rhoi cic chwerw i'r gacen siocled hon. Mae fy nghariad yn Wyddel a rysáit ei deulu o yw hon. Eisin siocled mae fy mam yng nghyfraith yn ei roi ar y gacen, ond dwi'n ei hoffi ag eisin menyn gwyn i wneud iddi edrych yn debycach i beint o Guinness.

120g o fenyn

250g o siwgr brown tywyll

2 wy

170g o flawd plaen

60g o bowdr coco

1 llwy de o soda pobi

½ llwy de o bowdr codi

200ml o Guinness o botel

Ar gyfer yr eisin

125g o fenyn heb halen

250g o siwgr eisin

½ llwy de o rin fanila

3 llwy fwrdd o laeth

Cynheswch y popty i 180°C / Ffan 160°C / Nwy 4 ac iro a leinio tun crwn dwfn.

Curwch y siwgr a'r menyn â chwisg drydan am o leiaf 4 munud nes eu bod yn edrych yn olau ac yn teimlo'n ysgafn. Ychwanegwch yr wyau, un ar y tro, gan guro pob un yn drwyadl â'r chwisg. Yna hidlwch y blawd, y powdr coco, y soda pobi a'r powdr codi a'u plygu i mewn â llwy fetel neu *spatula*. Yn olaf, ychwanegwch y Guinness a'i gymysgu'n drwyadl cyn rhoi'r gymysgedd yn y tun.

Rhowch yn y popty cyn gynted â phosib, gan mai'r adwaith rhwng y Guinness a'r soda pobi fydd yn gwneud i'r gacen godi. Pobwch am awr, neu nes bod sgiwer yn dod allan yn lân.

Gadewch iddi oeri ar rwyll fetel cyn ei heisio ag eisin menyn.

Er mwyn gwneud eisin menyn ysgafn, cymysgwch y menyn, y siwgr eisin, y rhin fanila a'r llaeth am 5 munud â chwisg drydan.

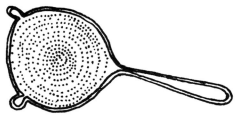

Cacen ffrwythau ffwrdd-â-hi

Rysáit arall gan y teulu yn Iwerddon ydy hon, ac er mai cacen ffrwythau yw hi mae hi'n wahanol i'n bara brith ni yma. Mae'n llawer mwy ysgafn, ac mae blas almon hyfryd iddi hi. Dyma gacen arall sy'n hawdd iawn i'w gwneud – fedrwch chi ddim methu.

225g o flawd codi
Pinsied o halen
½ llwy de o sbeis cymysg
115g o siwgr brown meddal
320g o ffrwythau sych cymysg
55g o geirios *glacé*
2 wy
½ llwy de o nodd almon (*almond essence*)
115ml o laeth
115ml o olew
30g o siwgr demerara, i'w ysgeintio ar y top

Cynheswch y popty i 170°C / Ffan 150°C / Nwy 4 ac iro a leinio tun crwn dwfn â phapur gwrthsaim.

Hidlwch y blawd, yr halen a'r sbeis i bowlen. Ychwanegwch y cynhwysion eraill i gyd a'u curo â chwisg am hanner munud, nes bod popeth wedi cymysgu'n dda. Rhowch yn y tun ac ysgeintio'r top â siwgr demerara.

Pobwch am 1–1½ awr nes bod sgiwer yn dod allan yn lân. Gadewch iddi oeri ar rwyll fetel.

Cacen ferwi Nain

Mae gan Nain lyfr nodiadau yn llawn ryseitiau, un bach glas â thudalennau wedi'u staenio ag olion ei choginio. Dwi'n cofio ei gweld yn ei ddefnyddio fo pan o'n i'n iau. Nawr, dwi wedi'i fabwysiadu gan nad yw Nain yn ei ddefnyddio mwyach, ac mae hon yn un o'r ryseitiau o'r llyfr hwnnw.

315ml o laeth
60g o fenyn
115g o siwgr brown golau
230g o ffrwythau sych cymysg
1 llwy de o sbeis cymysg
½ llwy de o sinsir mâl
230g o flawd codi
1 llwy de o soda pobi
Pinsied o halen

Cynheswch y popty i 190°C / Ffan 170°C / Nwy 5 ac iro a leinio tun torth â phapur gwrthsaim.

Rhowch y llaeth, y menyn, y siwgr, y ffrwythau cymysg a'r ddau sbeis mewn sosban a dod â nhw at y berw. Gadewch i'r gymysgedd fudferwi am 5 munud.

Yna hidlwch y blawd, y soda pobi a'r halen i mewn i'r gymysgedd a chymysgu'n drwyadl â llwy. Rhowch yn y tun bara a'i phobi am 50 munud. Gadewch iddi oeri ar rwyll fetel.

Cacen foron

Pan fydda i'n mynd allan am baned a chacen, mae'n go debygol mai cacen foron fydd fy newis i. Mae'r syniad yn un od iawn, ond rywsut mae'n gweithio. Gwaetha'r modd, does yna ddim byd iachus am y gacen hon ar ôl i chi ychwanegu'r holl eisin caws yna am ei phen. Ond mae yna lot fawr o foron ynddi o'i chymharu â rhai ryseitiau. Nhw ydy seren y sioe a dwi'n licio hynny.

340g o foron wedi'u gratio

250g o flawd plaen

1 llwy de o soda pobi

2 lwy de o bowdr codi

1 llwy de o sinamon

½ llwy de o sbeis cymysg

½ llwy de o nytmeg

100g o syltanas

50g o gnau pecan

4 wy

145ml o olew

170g o siwgr brown golau

Ar gyfer yr eisin

170g o gaws meddal braster llawn

60g o fenyn

250g o siwgr eisin

Cynheswch y popty i 170°C / Ffan 150°C / Nwy 4 ac iro a leinio dau dun crwn 20cm â phapur gwrthsaim.

Hidlwch y blawd, y soda pobi, y powdr codi a'r sbeisys i bowlen. Ychwanegwch y moron, y ffrwythau a'r cnau a'u cymysgu â llwy. Cymysgwch yr olew, y siwgr a'r wyau a'u hychwanegu at y cynhwysion sych. Cymysgwch â llwy nes bod popeth wedi cyfuno.

Rhannwch y gymysgedd rhwng y ddau dun a'u pobi am 40 munud nes bod sgiwer yn dod allan yn lân. Gadewch iddyn nhw oeri yn y tuniau.

Cyn dechrau gwneud yr eisin mae'n bwysig sicrhau bod y menyn yn feddal a'r caws yn oer. Bydd hyn yn sicrhau na fydd lympiau yn yr eisin.

Chwisgiwch y menyn a'r caws nes eu bod nhw wedi cyfuno. Yna ychwanegwch y siwgr eisin yn raddol. Parhewch i chwisgio am ychydig funudau eto, nes bod yr eisin yn llyfn a thrwchus. Gofalwch beidio â gorguro.

Taenwch hanner yr eisin am ben un gacen, rhoi'r ail hanner ar ei phen a'i haddurno â gweddill yr eisin.

Mae'r gacen yn rhydd o gynnyrch llaeth, felly os oes gennych alergedd i laeth gwnewch un gacen fawr a'i heisio ag ychydig o siwgr eisin wedi'i gymysgu â sudd oren.

Cacen geirios lwyddiannus Nain

Mae hon yn gacen arall o lyfr ryseitiau Nain. Dwi ddim yn hollol sicr pam y cafodd yr enw 'cacen geirios lwyddiannus', ond dwi erioed wedi methu gyda hi, felly pam lai! Dydy hi ddim yn ffansi o bell ffordd, ond mae hi'n flasus iawn gyda phaned dda o de ganol y prynhawn.

170g o fenyn
170g o siwgr mân
3 wy
170g o flawd codi
55g o almonau mâl
170g o geirios *glacé* wedi'u golchi a'u torri'n hanner

Cynheswch y popty i 160°C / Ffan 140°C / Nwy 4 ac iro a leinio tun crwn dwfn â phapur gwrthsaim.

Chwisgiwch y menyn am ryw funud, yna ychwanegu'r siwgr a chwisgio am 4–5 munud arall. Ychwanegwch yr wyau, un ar y tro, gan wneud yn siŵr eich bod wedi cymysgu pob un yn drwyadl â'r chwisg cyn ychwanegu'r nesaf. Hidlwch y blawd i'r gymysgedd, ychwanegu'r almonau mâl a phlygu'n ofalus â llwy neu *spatula* nes eu bod wedi cymysgu'n llwyr.

Taenwch y ceirios mewn blawd a'u hychwanegu at y gymysgedd, yna rhoi'r cyfan yn y tun.

Pobwch am awr, nes bod y top yn brownio a sgiwer yn dod allan yn lân. Gadewch iddi oeri ar rwyll fetel.

Pwdin

Pan fydda i'n gwahodd ffrindiau draw am swper dwi'n llawer mwy tebygol o ganolbwyntio ar y pwdin na'r prif gwrs. Peidiwch â chamddeall, fydda i ddim yn gweini ffa pob a *chips* ac wedyn yn gwneud clamp o bwdin egsotig. Ond fe fyddai'n well gen i wneud swper gweddol syml a gorffen â phwdin anhygoel na threulio oes yn gwneud y prif gwrs a gorfod prynu pwdin neu, yn waeth fyth, peidio â chael pwdin o gwbl!

Fel y gallwch ddychmygu, os ydw i'n mynd allan i fwyta, pwdin yw'r cwrs dwi'n edrych ymlaen ato fwyaf. Os oes rhaid i mi ddewis rhwng y cwrs cyntaf a'r pwdin, yna'r pwdin sy'n ennill bob tro. A dweud y gwir, dwi'n tueddu i edrych ar beth sydd i bwdin gyntaf, ac wedyn penderfynu beth arall dwi eisiau ei fwyta gyda fo.

Ond dydy pwdin anhygoel ddim o reidrwydd yn golygu chwysu yn y gegin am oriau; bydd y pwdin symlaf yn gwneud argraff dda ar eich gwesteion cyn belled â'i fod yn un cartref.

Felly dyma rai o fy hoff bwdinau, o grymbl riwbob syml, y pwdin perffaith ar ôl cinio dydd Sul, i *Kaiserschmarrn*, pwdin o Awstria sy'n aml yn cael ei fwyta i ginio!

Cacen gaws riwbob a sinsir

Tan yn ddiweddar do'n i erioed wedi trio cacen gaws Americanaidd wedi'i choginio, heb sôn am wneud un fy hun. Ond dwi'n licio trio rhywbeth newydd, ac fe ges fy mhlesio. Mae'n golygu ychydig bach mwy o waith ond mae'r gacen orffenedig yn llawer ysgafnach. Nawr mae'n well gen i'r math hwn o gacen gaws, ac mae'r sinsir a'r riwbob yn y gacen hon yn gweddu'n berffaith i'w gilydd.

500g o riwbob
75g o siwgr mân (ar gyfer y riwbob)
100g o fenyn
250g o fisgedi sinsir
500g o gaws meddal braster llawn
2 lwy fwrdd o flawd corn
100g o siwgr mân
croen 1 lemon wedi'i gratio
3 wy wedi'u gwahanu
150ml o hufen wedi suro
3 darn o sinsir mewn surop wedi'u gratio

Torrwch y riwbob yn ddarnau tua 5cm o hyd a'u gosod mewn dysgl sy'n addas i'r popty. Gwasgarwch y siwgr am eu pennau a'u rhostio am 20–25 munud ar dymheredd o 200°C / Ffan 180°C / Nwy 6. Ar ôl eu coginio rhowch y 3 neu 4 darn gorau o riwbob i un ochr i'w defnyddio ar gyfer addurno, a draenio gweddill y riwbob.

Nawr trowch y popty i lawr i 180°C / Ffan 160°C / Nwy 4 yn barod ar gyfer coginio'r gacen gaws.

Malwch y bisgedi, un ai trwy eu rhoi mewn bag plastig a'u taro â phin rholio neu eu rhoi nhw mewn prosesydd bwyd. Toddwch y menyn mewn sosban, ychwanegu'r bisgedi wedi'u torri a chymysgu.

Defnyddiwch dun crwn ag ochrau sy'n dod yn rhydd; fe fydd yn haws tynnu'r gacen allan ar y diwedd. Gwasgwch y bisgedi i waelod y tun a gadael iddo oeri yn yr oergell tra'ch bod chi'n gwneud gweddill y gacen gaws.

Curwch y caws meddal â chwisg drydan nes ei fod yn llyfn, yna ychwanegu'r blawd corn, y siwgr mân, y croen lemon wedi'i gratio a'r sinsir a'u cymysgu. Ychwanegwch y 3 melynwy a'r hufen wedi suro a churo eto nes bod y cyfan yn llyfn.

Mewn powlen arall chwisgiwch y 3 gwynwy nes eu bod yn stiff. Yna, gan ddefnyddio llwy fetel, rhowch lond llwy o'r gwynwy yn y gymysgedd gaws a chymysgu'n dda. Yna ychwanegwch weddill y gwynwy a'i blygu'n ofalus â llwy.

Gwnewch yn siŵr bod y riwbob mor sych â phosib a'i wasgaru ar ben y bisgedi, yna tywallt y gymysgedd cacen gaws ar ei ben.

Gosodwch y gacen ar dun pobi a'i choginio am 15 munud. Yna gostyngwch y tymheredd i 160°C / Ffan 140°C / Nwy 3 a phobi am 30–35 munud arall nes bod y gacen yn teimlo'n eithaf solet ar yr ochrau ond dal ychydig yn feddal yn y canol. Yna diffoddwch y popty a gadael i'r gacen oeri'n llwyr yn y popty.

Addurnwch â'r riwbob sy'n weddill.

Peidiwch â phoeni os ydy'r gacen yn cracio yn y canol. Mae gadael iddi oeri yn y popty yn gallu helpu, ond os nad ydy o, mae'n dal i flasu'n hyfryd!

Cacen gaws siocled gwyn a Mafon

Dwi'n gwybod fy mod i'n ei ddweud o'n aml ond mae'r rysáit hon mor hawdd, does dim rhaid ei choginio hyd yn oed. Dydy o ddim yn bwdin bob dydd gan ei fod mor gyfoethog ond mae surni'r mafon yn torri trwy'r hufen a'r siocled.

300g o fisgedi Digestive siocled

100g o fenyn

400g o siocled gwyn

250g o gaws meddal braster llawn

250g o gaws *mascarpone*

300ml o hufen dwbl

200g o fafon ffres

Malwch y bisgedi'n fân, un ai mewn prosesydd bwyd neu drwy eu rhoi mewn bag plastig a'u taro â phin rholio. Toddwch y menyn mewn sosban ac ychwanegu'r briwsion bisgedi; cymysgwch yn dda.

Leiniwch waelod y tun crwn (un â sbring sy'n agor ar yr ochr) â'r briwsion bisgedi a'u gwasgu i lawr yn dda a gadael iddo oeri yn yr oergell tra'ch bod chi'n gwneud gweddill y gacen.

Toddwch y siocled mewn powlen dros sosban o ddŵr; gofalwch nad yw'n cyffwrdd â'r dŵr. Mae siocled gwyn yn gallu mynd yn ronynnog os ydych yn ei gynhesu ormod, felly cyn gynted ag y mae wedi toddi, tynnwch y bowlen oddi ar y gwres a gadael i'r siocled oeri ychydig.

Yn y cyfamser, chwisgiwch y caws meddal, y caws *mascarpone* a'r hufen nes bod y cyfan yn drwchus. Ar ôl i'r siocled oeri, ychwanegwch at yr hufen a'r caws a chymysgu'n dda â llwy. Ychwanegwch y mafon at y gymysgedd a thywallt y cyfan dros y bisgedi.

Gadewch i'r gacen oeri yn yr oergell dros nos.

Crymbl riwbob

Does 'na ddim byd gwell i orffen cinio dydd Sul na chrymbl wedi'i foddi mewn cwstard. Gallwch ddefnyddio unrhyw ffrwythau sy'n dymhorol. Ond pan fo riwbob ar gael yn y siopau (neu, os ydych chi'n lwcus, yr ardd) yna mae'n gweddu'n berffaith i grymbl. Mae'r rysáit yma'n cynnwys tric bach dwi wedi'i ddysgu o un o ryseitiau Bryn Williams i sicrhau bod top eich crymbl yn aros yn grensiog. Dwi'n addo ei fod yn werth ei wneud.

900g o riwbob
55g o siwgr brown
5 llwy fwrdd o farmaled

Ar gyfer y crymbl
120g o flawd plaen
85g o fenyn
80g o geirch
70g o dafellau almon
70g o siwgr brown meddal
70g o siwgr gronynnog euraidd

Cynheswch y popty i 200°C / Ffan 180°C / Nwy 6.

Torrwch y riwbob yn ddarnau tua modfedd o hyd a'u rhoi mewn sosban fawr. Ychwanegwch y siwgr a'r marmaled a choginio am 15 munud neu nes bod y riwbob yn dechrau meddalu ond yn dal yn cadw ei siâp.

Gall ambell riwbob fod ychydig yn fwy sur nag eraill, felly blaswch y riwbob ac os ydy o'n rhy sur i'ch dant chi, ychwanegwch ychydig bach mwy o siwgr.

Yn y cyfamser, gwnewch y crymbl drwy rwbio'r menyn yn y blawd nes bod y cyfan yn edrych fel briwsion. Yna ychwanegwch y ceirch, yr almonau a'r ddau siwgr a chymysgu'r cyfan.

Taenwch y crymbl mewn un haenen denau ar dun pobi hirsgwar a'i roi yn y popty am 20 munud, gan ei droi nawr ac yn y man fel bod yr ochrau i gyd yn dal y gwres.

Ar ôl tynnu'r crymbl o'r popty, trowch y tymheredd i lawr i 180°C / Ffan 160°C / Nwy 4. Rhowch y riwbob mewn dysgl sy'n addas ar gyfer y popty a'i orchuddio â'r crymbl. Pobwch am 30 munud arall.

Gweinwch â chwstard neu hufen iâ.

Mae cynhwysion crymbl yn rhewi'n dda, felly beth am wneud dwbl yr hyn rydych chi ei angen a rhoi ei hanner, heb ei goginio, mewn bag plastig a'i rewi nes bydd ei angen?

Kaiserschmarrn

Ro'n i'n byw yn Awstria am gyfnod a *Kaiserschmarrn* oedd fy hoff fwyd. Mae'r enw'n golygu 'llanast yr ymerawdwr' – am enw da! Dyma grempog felys sy'n cael ei gweini â phowlen o gompot ffrwythau. Eirin sy'n draddodiadol ond dwi wedi cael compot afal a mefus hefyd. Pan fyddwn i'n mynd allan i sgio, roeddwn i'n aml yn stopio mewn bwyty ar y mynydd am fwyd, ac yn cael plât o hwn i ginio o leiaf unwaith yr wythnos – y peth gwych am Awstria yw bod pwdin yn cael ei ystyried yn ginio derbyniol yno!

5 wy wedi'u gwahanu
150g o flawd plaen
250ml o laeth
2 lwy fwrdd o siwgr
1 llwy de o rin fanila
Pinsied o halen
Llond llaw o resins
Menyn i goginio

Cymysgwch y melynwy, y blawd, y siwgr, y fanila, yr halen a'r llaeth â chwisg law nes bod gennych gytew tenau.

Chwisgiwch y gwynwy gyda chwisg drydan nes ei fod yn stiff; ychwanegwch lond llwy at y cytew a chymysgu'n dda. Yna ychwanegwch weddill y gwynwy a'i blygu'n ofalus i'r cytew â llwy fetel.

Toddwch y menyn mewn padell ffrio a llenwi'r badell â chytew. Mae'r rhain yn wahanol iawn i grempogau arferol, felly yn hytrach nag un haen denau mae angen llond padell o'r cytew. Fe fydd y gymysgedd yn gwneud mwy nag un llond padell. Gwasgarwch ychydig o resins am ben y grempog a'i choginio ar dymheredd isel.

Pan fo'r gwaelod yn dechrau brownio, trowch y grempog drosodd a'i gadael i goginio am rhyw funud. Yna torrwch yn ddarnau bach â fforc neu gyllell, a pharhau i'w ffrio nes eu bod wedi coginio'n llwyr.

Gweinwch y grempog ag ychydig o siwgr eisin am ei phen a ffrwythau wedi'u stiwio ar yr ochr, neu hyd yn oed ffrwythau ffres. Yr hyn dwi'n ei wneud yn aml yw cynhesu ychydig o aeron cymysg wedi'u rhewi mewn sosban â llond llwy fwrdd o siwgr eisin.

Paflofa

Mae'r pwdin hwn yn syml iawn, ond mae wastad yn plesio. Mae'n edrych yn drawiadol ond gan fod modd gwneud y *meringue* ddiwrnodau o flaen llaw, mae'n wych ar gyfer swper arbennig neu barti. Os nad ydych chi'n licio rhannu, beth am wneud rhai bach unigol?

3 gwynwy
Pinsied o halen
175g o siwgr mân
½ llwy de o finegr gwyn
2 lwy de o flawd corn
½ llwy de o rin fanila

Ar gyfer y llenwad
300ml o hufen dwbl
½ llwy de o rin fanila
2 lwy fwrdd o siwgr eisin
Ffrwythau o'ch dewis chi

Cynheswch y popty i 140°C / Ffan 120°C / Nwy 1.

Chwisgiwch y gwynwy nes bod swigod yn dechrau ffurfio. Yna ychwanegwch yr halen a dal ati i chwisgio nes bod y cyfan yn drwchus. Ychwanegwch y siwgr lwyaid ar y tro, gan barhau i chwisgio nes bod y *meringue* yn ffurfio pigau stiff a sgleiniog. Ychwanegwch y fanila, y finegr a'r blawd corn wedi'i hidlo a'u plygu i mewn yn ofalus â llwy fetel.

Leiniwch dun pobi â phapur gwrthsaim a llunio siâp crwn â'r *meringue*, ag ychydig o bant yn y canol. Coginiwch am 1¼ awr, yna diffodd y popty a gadael y *meringue* yn y popty i oeri.

Fe fydd y *meringue* yn cadw am ychydig ddyddiau os ydych yn ei adael, heb ei lenwi, ar dymheredd ystafell.

Pan fyddwch yn barod i'w weini, chwisgiwch yr hufen am ychydig funudau. Pan fydd yn dechrau tewhau ychwanegwch y rhin fanila a'r siwgr eisin a pharhau i chwisgio nes bod y cyfan yn drwchus.

Rhowch yr hufen am ben y *meringue*, yna ychwanegu eich hoff ffrwythau. Mae mefus yn hyfryd, ond gallwch ddefnyddio mafon, ciwi, mango – beth bynnag sy'n mynd â'ch bryd.

Wrth wneud meringue, gwnewch yn siŵr eich bod chi'n defnyddio powlen lân a hollol sych. Os oes unrhyw saim yn eich powlen fydd y gwynwy fyth yn ffurfio cymysgedd drwchus.

Panacotta coconyt a chardamom

Un o fy hoff bwdinau i ydy *panacotta*, ac os bydd ar y fwydlen, yna dwi'n sicr o'i archebu wrth fwyta allan. Er hynny, doeddwn i ddim wedi mentro gwneud un gartref tan yn ddiweddar – dwi'n meddwl fy mod i ofn gweithio â gelatin. Ond nawr, fe fyddwn i'n annog unrhyw un i'w drio. Mae fy fersiwn i ychydig bach yn fwy egsotig ac ôl dylanwad y math o flasau sydd mewn pwdin Indiaidd arno.

400ml o laeth coconyt
100ml o laeth
100ml o hufen dwbl
100g o siwgr mân
8 pod cardamom
4 dalen o gelatin

Tynnwch yr hadau o'r podau cardamom a'u malu'n fân, un ai â phestl a mortar neu drwy eu rhoi mewn bag plastig a'u taro â phin rholio. Rhowch yr hadau mewn sosban gyda'r llaeth coconyt, y llaeth, yr hufen a'r siwgr a'i gynhesu nes ei fod yn dechrau berwi.

Yn y cyfamser, rhowch y gelatin i socian mewn powlen o ddŵr oer.

Unwaith y bydd y gymysgedd wedi dechrau berwi, tynnwch y sosban oddi ar y gwres a hidlo'r gymysgedd i bowlen neu jwg i gael gwared ag unrhyw ddarnau mawr o gardamom.

Nawr ychwanegwch y gelatin (does dim angen y dŵr, dim ond y gelatin, a fydd erbyn hyn wedi meddalu rhywfaint). Gwnewch yn siŵr fod y gelatin wedi toddi'n llwyr yn y gymysgedd. Tywalltwch i ddysglau ramecin neu bowlenni bach a'u rhoi yn yr oergell i setio. Mae'r rysáit yn gwneud rhwng 4 a 6 gan ddibynnu ar faint y powlenni.

Unwaith y byddwch yn barod i weini, un ar y tro rhowch waelod y ramecins mewn powlen o ddŵr berw am ychydig eiliadau a dechrau rhyddhau'r *panacotta* o ochr y bowlen gan ddefnyddio eich bysedd i'w dynnu'n ofalus o'r ochr. Gallwch ddefnyddio cyllell finiog i helpu os nad yw'n dod yn rhydd yn hawdd. Mae angen bod yn ofalus, ond ag ychydig bach o amynedd fe fydd yn dod yn rhydd. Yna rhowch blât ar ben y ramecin, ei droi ben i waered a chodi'r ramecin i ffwrdd. Gweinwch â darnau o fango neu binafal.

Os ydych chi'n cael trafferth tynnu'r panacotta allan, yna gweinwch nhw yn y dysglau. Fe fyddan nhw'n dal i flasu'n hyfryd!

Jeli rosé

Dyma rysáit arall ges i gan Dylan Rowlands o fwyty Dylanwad Da yn Nolgellau. Mae Dylan hefyd yn mewnforio a gwerthu gwinoedd, a dwi'n lwcus iawn i gael bocs o'r gwin hwnnw gan Dad bob Nadolig. Dwi'n aml yn coginio bwydydd sawrus gyda gwin, ond doeddwn i erioed wedi meddwl defnyddio gwin mewn pwdin nes i mi gael y rysáit hon. Pwy sy'n dweud mai pwdin i blant yn unig yw jeli?

14 dalen o gelatin

Potel o win *rosé*

400g o siwgr mân

bonyn sinamon
(*cinnamon stick*)

3 o goed anis (*star anise*)

Cymysgedd o fefus,
mafon a llus

Rhowch y dalennau gelatin mewn powlen ac ychwanegu digon o ddŵr i'w gorchuddio; gadewch iddyn nhw socian am ychydig funudau.

Rhowch y gwin, y siwgr mân, y bonyn sinamon a'r coed anis mewn sosban a dod â nhw i'r berw nes bod y siwgr yn toddi. Tynnwch oddi ar y gwres ac ychwanegu'r gelatin sydd wedi bod yn socian (does dim angen y dŵr). Gadewch i'r cyfan oeri.

Gallwch ddefnyddio mowld jeli neu dun bara i ddal y jeli. Os ydych yn defnyddio tun bara, leiniwch y tun â *cling film* (bydd yn llawer haws ei dynnu o'r tun). Er mwyn adeiladu haenau jeli a ffrwythau, rhowch ddigon o jeli i orchuddio gwaelod y tun a'i roi yn yr oergell i setio.

Ar ôl iddo setio, gwasgarwch fafon ar ben y jeli ac yna'i orchuddio ag ychydig mwy o jeli a'i roi'n ôl yn yr oergell i setio. Gwnewch yr un peth â'r llus ac yna â'r mefus wedi'u torri'n fân. Gorffennwch â haen olaf o jeli a gadael i'r cyfan setio'n llwyr yn yr oergell dros nos.

Pan fyddwch yn barod i'w weini, tynnwch y jeli allan o'r tun gerfydd y *cling film* a'i dorri'n sleisys fel eich bod yn gweld yr haenau ffrwythau. Os ydych yn defnyddio mowld jeli yna mae'n bosib y bydd angen ei osod mewn dŵr berwedig am ychydig eiliadau yn gyntaf er mwyn rhyddhau'r jeli.

Semlor

Dwi wedi bod draw yn Sweden lawer gwaith yn ymweld ag un o fy ffrindiau gorau o'r brifysgol. Dwi wrth fy modd â'r bwyd yno, ac maen nhw'n gwybod sut mae gwneud coffi a chacen dda – sy'n fawr o syndod, efallai, o ddeall bod Sweden yn yfed mwy o goffi'r pen na bron unrhyw wlad arall yn y byd. Pan yrrodd fy ffrind lun o'r cacennau bach hyn i mi, ro'n i'n gwybod bod yn rhaid i mi gael y rysáit. Mae'r rysáit wreiddiol yn cynnwys almonau chwerw, ond maen nhw'n anghyfreithlon yn y wlad hon gan eu bod nhw'n wenwynig os ydych yn bwyta gormod ohonyn nhw!

500g o flawd bara cryf
14g o furum sych
100g o siwgr mân
5g o halen
1 wy bach
250ml o laeth braster llawn
7 pod cardamom
100g o fenyn

I'w llenwi
150g o farsipán
300ml o hufen dwbl
½ llwy de o rin fanila
2 lwy fwrdd o siwgr eisin

Toddwch y menyn mewn sosban ac ychwanegu'r llaeth. Tynnwch yr hadau o'r podau cardamom a'u gwasgu ychydig â phestl a mortar, neu waelod pin rholio, cyn eu hychwanegu at y llaeth. Cynheswch i 37°C (tymheredd y corff). Gofalwch nad yw'n rhy boeth gan y bydd gormod o wres yn lladd y burum.

Mewn powlen, cymysgwch y blawd, y siwgr, yr halen a'r burum. Ychwanegwch yr wy ac yna hidlo'r llaeth i mewn i'r gymysgedd er mwyn dal yr hadau cardamom.

Rhowch ychydig bach o flawd ar y bwrdd a thylino'r toes am 10 munud nes ei fod yn llyfn. Rhowch y toes mewn powlen wedi'i hiro ag olew a'i gorchuddio â *cling film*. Gadewch i'r toes godi yn rhywle cynnes am awr.

Rhannwch y toes yn ddarnau crwn tua 60g yr un (neu ychydig yn fwy na phêl golff, ond fe fydda i'n eu pwyso nhw) a'u gosod ar dun pobi ag ychydig o flawd wedi'i ysgeintio arno. Gorchuddiwch â *cling film* neu liain sychu llestri a'u gadael i godi am 1 ½ awr arall.

Cynheswch y popty i 230°C / Ffan 210°C / Nwy 8 a'u pobi am 10 munud nes eu bod nhw'n euraidd. Gadewch i oeri ar rwyll fetel.

Yn y cyfamser, chwipiwch yr hufen â'r fanila a'r siwgr eisin a chymysgu'r marsipán ag ychydig bach o laeth i ffurfio past meddal.

Pan fo'r byns yn oer, torrwch y top i ffwrdd a thynnu ychydig o'r bara allan. Llenwch y twll ag ychydig o'r past marsipán a'r hufen a rhoi'r top yn ôl am eu pennau.

Plant

Fel llawer o bobl sy'n hoffi pobi, gartref gyda Mam a Nain y dechreuais i goginio a hynny pan oeddwn i'n hogan fach. I ddechrau roeddwn i'n cael helpu drwy wneud pethau syml fel cymysgu'r cynhwysion neu hidlo'r blawd, cyn symud wedyn at wneud ryseitiau hawdd fy hun. Dwi'n cofio mai un o'r pethau cyntaf i mi eu gwneud ar fy mhen fy hun oedd *peppermint creams*. Dwi ddim yn siŵr oeddwn i'n eu hoffi nhw rhyw lawer ond fi oedd wedi eu gwneud nhw, felly roeddwn i'n falch iawn ohonyn nhw ac yn barod i'w bwyta i gyd.

Erbyn hyn dwi'n cael pleser mawr o goginio gyda fy nithoedd, ac maen nhw'n amlwg hefyd yn mwynhau cael creu ac addurno rhywbeth y byddan nhw'n gallu ei fwyta yn y pen draw. Dwi o'r farn y dylid gadael i blant wneud cymaint o lanast ag y maen nhw eisiau wrth goginio (o fewn rheswm); dyna hanner yr hwyl. Er, dwi ddim yn siŵr bod fy chwaer na fy mrawd yn cytuno â hynny pan dwi'n coginio gyda'r plant yn eu ceginau nhw!

Wrth gwrs, does yna ddim ffasiwn beth â 'rysáit plant' – mae plant yn mwynhau coginio unrhyw beth. Ond mae'r ryseitiau canlynol yn rhai gweddol hawdd i'w gwneud, ac yn hwyl, a dwi'n gobeithio eu bod nhw hefyd yn gacennau y bydd plant ac oedolion yn mwynhau eu bwyta.

Cacen ben-blwydd

Mae yna rywbeth llawer mwy personol am wneud eich cacen eich hun, ac rydych chi'n gwybod yn union beth sy'n mynd i mewn iddi. Dydy o ddim yn anodd, ond mae'n cymryd ychydig bach o amser, felly gwnewch yn siŵr bod eich pnawn yn rhydd! Cacen Madeira dwi'n ei defnyddio bob tro – mae'n dal ei siâp yn llawer gwell na sbwnj Fictoria. Mae'n berffaith os ydych am dorri'r gacen yn siapiau gwahanol. Gallwch gael digon o hwyl gyda'r addurniadau a'r *glitter*, felly peidiwch â dal yn ôl!

350g o fenyn
350g o siwgr mân
6 wy
2 lwy de o rin fanila
350g o flawd codi
175g o flawd plaen

I addurno'r gacen
250g o fenyn
500g o siwgr eisin
1 llwy de o rin fanila
4–5 llwy fwrdd o laeth
Jam mefus
Paced o eisin ffondant
Addurniadau ychwanegol o'ch dewis chi

Cynheswch y popty i 160°C / Ffan 140°C / Nwy 3, iro tun cacen 8 modfedd, dwfn a'i leinio â phapur gwrthsaim. (Gwnewch yn siŵr bod y tun yn un digon dwfn achos fe fyddwch yn gwneud un gacen fawr a'i thorri yn ei hanner.)

Cymysgwch y menyn a'r siwgr â chwisg drydan am tua 5 munud nes eu bod yn edrych yn olau ac yn teimlo'n ysgafn. Ychwanegwch yr wyau at y gymysgedd un ar y tro, a'u curo â chwisg drydan, gan ychwanegu llwyaid o flawd rhwng pob un. Mae yna lot o wyau yn y gymysgedd hon, felly bydd y llwyaid yna o flawd rhwng pob wy yn helpu i atal y gymysgedd rhag ceulo. Ar ôl ychwanegu 6 wy dylai'r gymysgedd fod yn ysgafn ac wedi dyblu mewn maint.

Ychwanegwch y fanila, a chymysgu. Hidlwch y ddau flawd i'r gymysgedd a'u plygu i mewn yn ofalus â *spatula* neu lwy fetel i sicrhau eich bod yn cadw cymaint o aer â phosib. Rhowch yn y tun, a phobi am 1½ awr, neu nes bod sgiwer yn dod allan yn lân. Gadewch iddi oeri ar rwyll fetel.

Unwaith y bydd y gacen wedi oeri'n llwyr gallwch ddechrau ar y gwaith addurno. Y peth cyntaf i'w wneud yw torri'r top yn fflat, ac yna torri'r gacen yn ei hanner. Os ydych chi'n poeni bod y gacen yn mynd i fod ychydig yn sych, gwnewch surop siwgr drwy ferwi 2 lwy fwrdd o siwgr mân a 4 llwy fwrdd o ddŵr, a'i daenu dros ddau hanner y gacen.

Paratowch eich eisin menyn drwy guro'r menyn â chwisg drydan am ryw funud, yna ychwanegu hanner y siwgr eisin, y llaeth a'r fanila a'u curo nes eu bod wedi cymysgu'n llwyr. Ychwanegwch weddill y siwgr eisin a churo am 4 munud arall nes bod y cyfan yn ysgafn.

Gwnewch gacen lemon trwy ychwanegu croen un lemon i'r sbwnj a rhoi sudd y lemon yn y surop siwgr. Gallwch hefyd ychwanegu ychydig o lemon i'r eisin menyn.

Llenwch y gacen â haenen o jam ac eisin menyn a gorchuddio'r top a'r ochrau â haen denau o'r eisin.

Wedyn mae angen rhoi'r gacen yn yr oergell er mwyn gadael i'r eisin setio. Yna gorchuddiwch yr haen gyntaf â haen arall o eisin. Y tro hwn, gwnewch yn siŵr bod yr eisin mor llyfn â phosib yna 'nôl i'r oergell â hi. Mae'r cam hwn yn bwysig gan mai dyma sy'n rhoi'r sylfaen gorau posib i chi ar gyfer gorchuddio'r gacen ag eisin ffondant.

Os ydych chi eisiau defnyddio eisin ffondant lliw i orchuddio'r gacen, mae'n bosib prynu'r eisin hwn wedi'i liwio'n barod, neu ddefnyddio eisin gwyn a'i liwio eich hun â phast lliw.

Ysgeintiwch ychydig o siwgr eisin ar y bwrdd a rholio'r eisin allan nes ei fod tua 5mm o drwch ac yn ddigon mawr i orchuddio'r gacen i gyd. Os ydych chi'n poeni am y cam hwn, mae'n bosib prynu eisin gwyn wedi'i rolio'n barod mewn archfarchnadoedd mawr; dwi wedi eu defnyddio nhw yn y gorffennol ac maen nhw'n dda iawn.

Yna codwch yr eisin i fyny'n ofalus – y ffordd orau o wneud hyn yw trwy ddefnyddio pin rholio i helpu. Gosodwch ef yn ofalus dros y gacen.

Gan ddechrau ar y top a gweithio eich ffordd i lawr, defnyddiwch eich dwylo neu declyn plastig pwrpasol – y gallwch ei brynu mewn siopau cacennau arbenigol – i sicrhau bod yr eisin yn hollol lyfn. Dydy hyn ddim yn hawdd, ond fe ddaw ag ychydig o ymarfer. Torrwch unrhyw eisin sy'n weddill o gwmpas y gwaelod i ffwrdd.

Wedyn mae'r hwyl o addurno'n dechrau. Wrth wneud y gacen hon fe ddechreuais drwy chwistrellu *glitter* dros y gacen i gyd er mwyn rhoi rhywfaint o sglein iddi.

Defnyddiwch eisin caled i beipio cyfarchiad neu enw (gweler y rysáit Bisgedi Nadolig, t.141). Defnyddiwch drwyn eisio â thwll gweddol fach – rhowch gynnig ar ymarfer ar ddarn o bapur gwrthsaim yn gyntaf.

Yna gallwch dorri siapiau eisin ffondant o liw gwahanol gan ddefnyddio'r eisin caled i'w glynu ar y gacen.

Cacennau pili-pala

Dwi'n cofio mai dyma rai o'r cacennau cyntaf i mi eu gwneud fel plentyn, a nawr dwi wrth fy modd yn eu gwneud nhw gyda'r plant iau yn y teulu. Mae'r rysáit yn un hawdd i blant roi cynnig arni gan fod popeth yn cael ei gymysgu ar unwaith. Wrth gwrs, mae'r plant yn help mawr pan mae hi'n dod at amser addurno hefyd!

115g o fenyn
115g o siwgr mân
2 wy
170g o flawd codi
Pinsied o halen

Ar gyfer yr eisin
125g o fenyn
250g o siwgr eisin
½ llwy de o rin fanila
2 lwy fwrdd o laeth

Cynheswch y popty i 180°C / Ffan 160°C / Nwy 4 a rhoi eich cesys cacennau bach mewn tun addas.

Rhowch y menyn, y siwgr a'r wyau mewn powlen gymysgu, a hidlo'r blawd a'r halen am eu pennau. Yna cymysgwch yr holl gynhwysion â chwisg drydan am 1–2 funud nes eu bod wedi cyfuno'n llwyr.

Rhowch lond llwyaid o'r gymysgedd ym mhob cas papur a'u pobi am 15 munud, nes eu bod wedi brownio ar y top.

Gadewch iddyn nhw oeri'n llwyr ar rwyll fetel, yna torri darn o dop pob cacen â chyllell finiog. Torrwch nhw yn eu hanner a'u rhoi i un ochr.

Er mwyn gwneud yr eisin, curwch y menyn â chwisg drydan am funud nes ei fod yn feddal, yna ychwanegu'r rhin fanila, y llaeth a hanner y siwgr eisin. Curwch nes eu bod wedi cymysgu, cyn ychwanegu gweddill y siwgr eisin. Cymysgwch am 4 munud nes bod y cyfan yn ysgafn.

Llenwch y twll â'r eisin menyn, a rhoi dau hanner y caead am ei ben i edrych fel adenydd pili-pala.

Ysgeintiwch ag ychydig o siwgr eisin, neu addurno ag addurniadau siwgr.

Yn wahanol i'r cacennau bach eraill dwi'n eu gwneud, dwi'n defnyddio cesys llai ar gyfer y cacennau hyn gan mai ar gyfer plant maen nhw. Er hynny, mae fy nithoedd i'n gallu bwyta mwy nag un yn hawdd!

Tartenni jam

Dyma rysáit arall yr oeddwn i'n ei gwneud yn aml pan oeddwn yn fach. Maen nhw'n syml iawn ac yn ffordd dda o ddysgu plant sut mae gwneud toes. A gan mai dim ond blawd, menyn a jam sydd angen, maen nhw'n berffaith ar gyfer yr adegau hynny pan nad oes llawer o ddim byd yn y tŷ. Maen nhw'n hyfryd ag ychydig o geuled lemon hefyd.

225g o flawd plaen

100g o fenyn oer

Pinsied o halen

4 llwy fwrdd o ddŵr oer iawn

Jam o'ch dewis chi

Gwnewch y toes i ddechrau drwy rwbio'r menyn oer yn y blawd a'r halen nes ei fod yn edrych fel briwsion.

Ychwanegwch y dŵr un llwyaid ar y tro, a chymysgu nes bod y toes yn dod at ei gilydd ac yn ffurfio pelen. Efallai na fydd angen yr holl ddŵr – gofalwch nad ydy'r toes yn rhy wlyb. Lapiwch y toes mewn *cling film* a'i roi yn yr oergell am 30 munud.

Irwch dun tartenni ag ychydig o fenyn a chynhesu'r popty i 180°C / Ffan 160°C / Nwy 4.

Rholiwch y toes allan nes ei fod yn rhyw 5mm o drwch a thorrwch gylchoedd â thorrwr toes neu gwpan ychydig yn fwy na thyllau'r tun. Gwasgwch y cylchoedd toes yn ofalus i dyllau'r tun a rhowch lond llwy de o jam neu geuled lemon ym mhob un.

Gofalwch beidio â gorlenwi'r cesys toes gan y bydd y jam yn berwi dros yr ochrau ac yn llosgi. Gwnewch yr un peth ag unrhyw does sy'n weddill.

Pobwch am 15–20 munud nes bod y crwst yn euraidd.

Gadewch iddyn nhw oeri'n llwyr cyn eu bwyta, gan y bydd y jam yn chwilboeth ar ôl dod allan o'r popty ac fe allech chi losgi eich ceg.

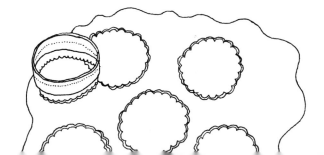

Dynion sinsir

Mae plant wrth eu boddau yn gwneud dynion sinsir. Maen nhw'n gallu helpu i dorri'r dynion ac, wrth gwrs, mae'r hwyl i gyd yn yr addurno. Defnyddiwch eisin, siocled neu resins. Byddwch yn greadigol, does dim rhaid sticio at lygaid a botymau'n unig.

125g o fenyn
100g o siwgr brown golau
3 llwy fwrdd o surop euraidd
325g o flawd plaen
2 lwy de o sinsir mâl
1 llwy de o soda pobi
Pinsied o halen

Ar gyfer yr eisin
1 gwynwy
½ llwy de o sudd lemon
200g o siwgr eisin
Past lliw o'ch dewis chi

Cynheswch y popty i 180°C / Ffan 160°C / Nwy 4 a leinio dau dun pobi â phapur gwrthsaim.

Rhowch y menyn, y siwgr a'r surop mewn sosban a'u cynhesu nes bod popeth wedi toddi. Hidlwch y blawd, y sinsir, y soda pobi a'r halen i bowlen ac ychwanegu'r cynhwysion gwlyb. Cymysgwch yn dda nes bod y gymysgedd yn dod at ei gilydd ac yn ffurfio pêl. Efallai y bydd yn rhaid defnyddio eich dwylo ar y diwedd.

Lapiwch y toes mewn *cling film* a'i roi yn yr oergell am 30 munud.

Pan fydd y toes wedi oeri, ysgeintiwch ychydig o flawd ar y bwrdd a rholio'r toes allan nes ei fod yn 5mm o drwch. Torrwch y dynion sinsir â thorrwr toes, a'u rhoi ar y tun pobi.

Os ydych am ddefnyddio rhesins fel llygaid neu fotymau, dyma'r amser i'w hychwanegu Fel arall gadewch y dynion sinsir yn blaen a'u haddurno ag eisin wedyn. Pobwch am 8–10 munud.

Rhowch ar rwyll fetel i oeri.

Er mwyn gwneud yr eisin, chwisgiwch y gwynwy nes ei fod yn ewynnog, yna ychwanegu'r sudd lemon a chymysgu. Yna ychwanegwch y siwgr eisin yn raddol, a chwisgio nes ei fod yn weddol drwchus. Mae angen i'r eisin fod yn ddigon trwchus i beidio â rhedeg, ond yn ddigon tenau i'w beipio.

Nawr, os ydych chi eisiau nifer o liwiau gwahanol, rhannwch yr eisin i nifer o bowlenni bychain ac ychwanegu'r lliw. Os ydych yn defnyddio past lliw, fydd dim angen llawer arnoch, felly defnyddiwch bren coctel i dynnu ychydig bach o'r past allan. Cymysgwch bob un yn dda.

Rhowch yr eisin mewn bagiau eisio bach a thorri twll yn y gwaelod (neu defnyddiwch drwyn eisio gyda thwll bach) a pheipio wynebau, botymau neu ddillad ar y dynion sinsir. Gadewch i'r plant fod yn greadigol!

Cacennau bach creision ŷd

Pan oedd fy mrawd yn iau, roedd ganddo alergedd gwael iawn i bob math o gynnyrch llaeth ac wyau ymysg pethau eraill. Roedd hyn yn golygu nad oedd o'n gallu bwyta'r cacennau a'r bisgedi yr oedd fy chwaer a minnau yn eu bwyta. Ond chwarae teg i Mam, roedd hi wastad yn ceisio canfod ffyrdd o wneud pethau y gallai fy mrawd eu bwyta. Mae o wedi tyfu allan o'r alergedd, ond mae Pwyll, ei fab, nawr yn dioddef o'r un peth, felly mae'r rysáit yma iddo fo.

55g o fenyn *soya*
3 llwy fwrdd o surop euraidd
1 llwy fwrdd o bowdr coco
35g o siwgr brown meddal
55g o greision ŷd

Rhowch y menyn, y surop, y coco a'r siwgr mewn sosban a'u cynhesu nes eu bod wedi toddi a chymysgu'n drwyadl.

Gadewch iddyn nhw ferwi am ychydig funudau yn ychwanegol nes bod y gymysgedd ychydig yn fwy trwchus a gludiog.

Tynnwch oddi ar y gwres, ychwanegu'r creision ŷd a'u cymysgu'n ofalus nes bod yr holl greision ŷd wedi'u gorchuddio yn y saws.

Rhowch mewn cesys papur bach, a gadael iddyn nhw oeri a setio ychydig.

Mae'r rhain yr un mor neis os nad oes gennych alergedd i gynnyrch llaeth, a gallwch gyfnewid y menyn soya am fenyn cyffredin.

fflapjacs afal a syltanas

Mae lot o bobl yn meddwl bod fflapjacs yn iach. Wel, mae'n ddrwg gen i ddweud hyn: tydyn nhw ddim! Mae ceirch yn dda i chi, ond ddim pan maen nhw'n rholio mewn menyn, surop a siwgr. Ond maen nhw mor flasus, does dim ots!

150g o fenyn

115g o siwgr brown golau

3 llwy fwrdd fawr o surop

150g o afalau wedi'u plicio a'u torri'n ddarnau bach

50g o syltanas

350g o geirch

Cynheswch y popty i 180°C / Ffan 160°C / Nwy 4.

Toddwch y menyn, y siwgr a'r surop mewn sosban. Ychwanegwch y darnau afal a'u coginio am rhyw 2 funud.

Mewn powlen arall cymysgwch y ceirch a'r syltanas, yna ychwanegu'r gymysgedd yn y sosban atynt a chymysgu nes bod y ceirch i gyd wedi'u gorchuddio'n llwyr.

Rhowch mewn tun 20cm x 20cm a choginio am 20–25 munud nes bod yr ochrau'n dechrau brownio a'r canol dal yn feddal. Os yw eich tun ychydig yn fwy a'ch fflapjacs yn llai trwchus, coginiwch am ryw 5 munud yn llai.

Gofalwch beidio â'u coginio'n rhy hir i gadw'r fflapjacs yn ludiog a meddal.

Gadewch i oeri'n llwyr yn y tun cyn eu torri'n sgwariau.

Lamingtons

Bues i'n byw ac yn teithio yn Awstralia ychydig flynyddoedd yn ôl ac mae'r cacennau bach hyn ym mhob man. Dwi'n siŵr mai dyma eu cacen genedlaethol nhw! Sgwariau bach o sbwnj plaen ydyn nhw wedi'u gorchuddio ag eisin siocled a choconyt. Maen nhw'n hawdd iawn i'w gwneud – perffaith ar gyfer ffair ysgol neu focs bwyd y plant.

120g o fenyn
150g o siwgr mân
2 wy
250g o flawd plaen
2 lwy de o bowdr codi
1 llwy de o rin fanila
120ml o laeth

Ar gyfer yr eisin
450g o siwgr eisin
30g o bowdr coco
40g o fenyn
120ml o laeth
250g o goconyt mâl

Cynheswch y popty i 180°C / Ffan 160°C / Nwy 4 ac iro a leinio tun sgwâr 20cm.

Rhowch y menyn, y siwgr, yr wyau, y blawd, y powdr codi, y fanila a'r llaeth mewn powlen a'u cymysgu â chwisg drydan nes eu bod yn llyfn. Rhowch yn y tun a'i bobi am 30–35 munud nes bod sgiwer yn dod allan yn lân. Tynnwch y gacen o'r tun a'i rhoi ar rwyll fetel i oeri'n llwyr.

Unwaith y bydd y gacen wedi oeri, torrwch y top i ffwrdd fel ei bod yn lefel, a'i thorri'n 9 12 o sgwariau hafal.

Nawr paratowch yr eisin drwy gynhesu'r siwgr eisin, y powdr coco, y menyn a'r llaeth mewn sosban, a'u cymysgu nes bod y cyfan yn llyfn.

Cyn dechrau eisio rhowch ddarn o bapur gwrthsaim o dan y rhwyll fetel sy'n dal y cacennau er mwyn dal unrhyw eisin sy'n cwympo.

Rhowch y coconyt mewn dysgl lydan.

Y ffordd orau o eisio'r cacennau yw eu procio â dwy fforc a'u trochi yn yr eisin. Gwnewch yn siŵr bod pob ochr wedi'i gorchuddio ag eisin, yna rhoi'r cacennau yn y ddysgl a'u gorchuddio'n llwyr â choconyt.

Rhowch nhw'n ôl ar y rhwyll fetel a gadael iddyn nhw sychu'n llwyr.

Cacen siocled i'r oergell

Mae'r rhain yn berffaith i'r plant eu gwneud gan nad oes rhaid eu coginio o gwbl.
Ac os oes yna unrhyw beth yn y cynhwysion nad ydyn nhw'n licio, yna rhowch rywbeth arall yn ei le.
Does dim angen mesur popeth yn berffaith: taflwch bob dim at ei gilydd a'i roi mewn tun i setio.
Ac mae oedolion yn licio'r rhain cymaint ag unrhyw blentyn!

600g o siocled llaeth
100g o fisgedi Digestive
100g o siocledi Maltesers
100g o falws melys bach
100g o geirios *glacé*
100g o syltanas neu gnau

Gallwch roi unrhyw beth rydych chi'n licio yn rhain: ffrwythau sych, hadau, cnau. Beth bynnag sy'n digwydd bod yn y cwpwrdd!

Torrwch y siocled yn sgwariau a'i doddi mewn powlen dros sosban o ddŵr, gan sicrhau nad yw'r bowlen yn cyffwrdd â'r dŵr. Gwnewch yn siŵr ei bod hi'n bowlen sy'n gwrthsefyll gwres. Fe driodd ffrind i mi wneud hyn gyda phowlen blastig. Camgymeriad mawr!

Rhowch y bisgedi mewn bag plastig a'u torri'n fân drwy eu taro â phin rholio. Dydych chi ddim eisiau iddyn nhw fod yn rhy fân; mae'n neis cael rhai darnau sy'n fwy nag eraill.

Golchwch y ceirios a'u torri'n eu hanner.

Rhowch y cynhwysion sych i gyd mewn powlen a thywallt y siocled dros y cyfan. Cymysgwch a rhoi'r gymysgedd mewn tun sgwâr wedi'i leinio â *cling film*. Esmwythwch y top a'i roi yn yr oergell i setio dros nos.

Unwaith y bydd wedi setio gallwch ei dorri'n ddarnau bach. Mae'n reit gyfoethog, felly does dim angen i'r darnau fod yn rhy fawr.

Nadolig

Dwi'n un o'r bobl hynny sy'n ecseitio'n lân am y Nadolig; mae'n gyfle gwych i ddal fyny gyda ffrindiau a theulu, ac wrth gwrs yn amser i ddathlu a gloddesta. Fydd hi ddim yn syrpréis i chi glywed fy mod i'n mwynhau'r esgus i gael pobi hyd yn oed mwy na'r arfer dros yr ŵyl, ac i mi mae'r paratoadau yn dechrau'n gynnar iawn. Os ydw i'n drefnus, yna byddaf yn coginio fy nghacennau Nadolig tua chanol mis Hydref, gan eu bod nhw ar eu gorau o'u coginio ychydig fisoedd cyn y diwrnod mawr. Erbyn hyn dwi'n gwneud pedair cacen bob blwyddyn i wahanol aelodau o'r teulu, felly mae angen clustnodi penwythnos cyfan ar gyfer y gwaith!

Yna byddaf yn tueddu i anghofio am y Nadolig tan fis Rhagfyr, ond wedyn does yna ddim stopio arna i wrth i mi wneud mins peis, bisgedi a siocledi i bawb.

Wrth gwrs, does gan bawb ddim mo'r amser na'r awydd i wneud cacen Nadolig eu hunain, ond dwi'n ffeindio bod hyd yn oed y bobl fwyaf annhebygol yn ystyried pobi rhywbeth dros yr ŵyl. Felly dwi'n gobeithio bod yna rywbeth i bawb yn y bennod hon. Mae'r bisgedi'n hawdd iawn i'w gwneud ond hefyd yn gwneud anrheg perffaith unwaith rydych chi wedi'u rhoi mewn bag neu focs a'u clymu â rhuban. Ac mae'r hufen iâ pwdin 'Dolig a'r *roulade* siocled yn cynnig pwdin ychydig bach yn wahanol ar gyfer eich cinio Nadolig.

Cacen Nadolig

Roedd Nain yn arfer gwneud cacen Nadolig i ni bob blwyddyn; un anferth er gwaetha'r ffaith mai dim ond fi a fy nhad oedd yn ei bwyta. Ond wrth i mi ddechrau pobi mwy, fe benderfynais y byddwn i'n tynnu'r baich oddi ar Nain a gwneud un fy hun. Fe ddylech chi wneud y gacen hon rhyw 8 wythnos o flaen llaw, os yn bosib. Dwi'n gwybod bod meddwl am 'Ddolig ym mis Hydref yn anghywir ryw ffordd, ond fe fydd y gacen yn blasu'n well ar ôl cael amser i aeddfedu. A chan ei bod hi'n cymryd rhyw 4½ i 5 awr i'w choginio, mae angen neilltuo diwrnod cyfan i'w gwneud.

450g o syltanas
200g o resins
75g o lugaeron sych
75g o geirios sur wedi'u sychu
60g o geirios *glacé*
70g o groen candi cymysg
4 llwy fwrdd o frandi
225g o flawd plaen
½ llwy de o halen
½ llwy de o nytmeg
1 llwy de o sbeis cymysg
50g o almonau
225g o siwgr brown tywyll
1 llwy bwdin o driog
225g o fenyn
4 wy
1 lemon canolig
1 oren canolig

Y noson cyn i chi wneud y gacen, rhowch y ffrwythau i gyd mewn powlen gyda'r brandi, gorchuddio'r cyfan â lliain sychu llestri (glân!) a'u gadael i socian am o leiaf 12 awr.

Pan fyddwch yn barod i wneud y gacen cynheswch y popty i 140°C / Ffan 120°C / Nwy 1. Irwch dun crwn 8 modfedd, dwfn (neu dun 7 modfedd sgwâr) â menyn a leinio'r ochrau a'r gwaelod â phapur gwrthsaim.

Hidlwch y blawd, yr halen a'r sbeisys mewn powlen, a'u rhoi i un ochr.

Cymysgwch y menyn a'r siwgr am ryw 4–5 munud â chwisg drydan nes eu bod yn ysgafn. Curwch yr wyau a'u hychwanegu, un llwyaid ar y tro, at y menyn a'r siwgr a'u cymysgu â'r chwisg drydan. Os yw'n edrych fel ei fod yn mynd i geulo, ychwanegwch lwyaid o'r blawd at y gymysgedd.

Ar ôl ychwanegu'r wyau i gyd, plygwch y blawd a'r sbeisys i'r gymysgedd â *spatula* neu lwy. Nawr ychwanegwch groen yr oren a'r lemon, y triog a'r cnau, ac yn olaf y ffrwythau sydd wedi bod yn socian dros nos a chymysgu'r cyfan â llwy. Rhowch y gymysgedd yn y tun gan ddefnyddio eich llwy i wneud yn siŵr ei bod yn llenwi'r corneli hefyd.

Clymwch ddarn o bapur brown o gwmpas ochrau'r tun a rhoi dwy haen o bapur gwrthsaim ar y top, â thwll maint 50c yn y canol (mae hyn yn bwysig gan y bydd o'n stopio tu allan y gacen rhag coginio'n rhy gyflym).

Coginiwch y gacen am 4 ½ i 4 ¾ awr a pheidio â hyd yn oed agor y drws i sbecian ar y gacen nes i 4 awr fynd heibio. Bydd y gacen yn barod pan fydd sgiwer yn dod allan yn lân.

Gadewch i'r gacen oeri yn y tun am ychydig cyn ei rhoi ar rwyll fetel. Pan fydd y gacen wedi oeri, lapiwch hi mewn dwy haen o bapur gwrthsaim a haen o ffoil nes y byddwch yn barod i roi eisin arni.

Bob rhyw wythnos neu ddwy bwydwch y gacen â brandi trwy wneud tyllau yn y top â sgiwer a thywallt llond llwy fwrdd o frandi i mewn i'r tyllau.

I addurno'r gacen
450g o farsipán
2 lwy fwrdd o jam bricyll
500g o siwgr eisin
3 gwynwy

Dwi fel arfer yn eisio'r gacen rhyw wythnos cyn y Nadolig, a'r peth cyntaf i'w wneud yw paratoi'r gacen gan dorri'r top i ffwrdd er mwyn ei gwneud yn hollol fflat.

Yna ysgeintiwch ychydig o siwgr eisin ar y bwrdd a rholio'r marsipán nes ei fod rhyw 5mm o drwch ac yn ddigon mawr i orchuddio'r gacen gyfan. Er mwyn helpu'r marsipán i sticio i'r gacen mae angen ei brwsio â jam bricyll wedi'i doddi. Yna gallwch osod y marsipán ar ben y jam gan lyfnhau'r top i ddechrau a gweithio eich ffordd i lawr yr ochrau. Torrwch y marsipán yn daclus o gwmpas gwaelod y gacen a gadael iddo sychu dros nos.

Gallwch ddefnyddio eisin ffondant neu eisin caled ar eich cacen Nadolig. Yn ein teulu ni, eisin caled sy'n draddodiadol. Mae'n llawer haws i'w ddefnyddio nag eisin ffondant am nad oes angen bod cweit mor daclus. Ond os ydych am ddefnyddio eisin ffondant, yr unig beth sydd angen ei gofio yw y dylid dechrau trwy frwsio'r marsipán ag ychydig bach o ddŵr er mwyn helpu'r eisin i lynu wrtho.

Er mwyn gwneud yr eisin caled rhowch y gwynwy mewn powlen a'i chwisgio nes ei fod yn ewynnog. Yna ychwanegwch y siwgr eisin yn raddol. Ar ôl ychwanegu'r siwgr eisin i gyd, chwisgiwch am ryw 10 munud nes bod yr eisin yn ffurfio pigau cadarn.

Gan ddefnyddio cyllell balet taenwch yr eisin dros y gacen i gyd. Gadewch iddo setio am ychydig funudau cyn ychwanegu ail haen, y tro hwn gan ddefnyddio'r gyllell i wneud pigau â'r eisin.

Mae hi i fyny i chi wedyn sut i addurno'r gacen: ei gadael hi'n syml â rhuban del o'i chwmpas neu ei llwytho ag addurniadau *tacky*. Os yw'r plant yn eich helpu i addurno, yna fydd dim gobaith am gacen syml a phlaen, ond dyna hwyl y Nadolig. Yn ein teulu ni, fel llawer i deulu arall dwi'n siŵr, rydyn ni'n dal i ddefnyddio hen addurniadau o'n plentyndod ar y gacen: rhyw Siôn Corn sydd wedi gweld dyddiau gwell a chelyn plastig tila. Ond dyna ni, mae'r 'Dolig yn amser sentimental iawn!

Mins peis Moethus

Er fy mod i wrth fy modd â chacen Nadolig, am ryw reswm roeddwn i'n casáu mins peis fel plentyn. Ond mae hynny wedi hen newid erbyn hyn. Mae lot o bobl yn gwneud crwst plaen, ond dwi'n licio crwst melys. Mae'n 'Ddolig felly rhaid i bopeth fod mor gyfoethog a blasus â phosib! Dwi erioed wedi gwneud fy mriwgig (*mincemeat*) fy hun. Ond weithiau dwi'n ychwanegu rhywbeth at y briwgig o'r siop. Felly beth am ychwanegu ychydig o groen oren wedi'i gratio a sblash go dda o frandi?

250g o flawd plaen
50g o siwgr eisin
75g o almonau mâl
Pinsied o halen
150g o fenyn
2 felynwy
2 lwy fwrdd o sudd oren ffres, oer
1 jar o friwgig

Torrwch y menyn yn ddarnau bach a'u rhwbio yn y blawd nes bod y cyfan yn edrych fel tywod. Neu, os oes gennych chi brosesydd bwyd, cymysgwch bopeth at ei gilydd yn hwnnw.

Cymysgwch y melynwy a'r sudd oren a'u hychwanegu at y blawd a'r menyn. Cymysgwch nes bod y cyfan yn ffurfio pelen; mae'n haws defnyddio eich dwylo i wneud hyn. Lapiwch y toes mewn *cling film* a'i roi yn yr oergell am o leiaf 30 munud.

Rholiwch hanner y toes ar fwrdd ag ychydig o flawd arno. Dwi'n licio toes tenau, felly dwi'n ei rolio allan nes ei fod rhyw 2mm o drwch. Yna torrwch gylchoedd â thorrwr toes neu gwpan a'u rhoi mewn tun wedi'i iro â menyn. Yna rholiwch weddill y toes a thorri cylchoedd ychydig bach yn llai o ran maint i ffitio ar y top.

Llenwch y cesys toes â'r briwgig a rhoi caead ar ben bob un gan ddefnyddio ychydig o laeth o amgylch yr ochr i'w gludo. Dwi wedyn yn defnyddio fforc i grimpio'r ochrau ac yn torri twll yn y top â chyllell i adael y stêm allan.

Gorffennwch drwy eu brwsio â llaeth a rhoi ychydig bach o siwgr ar y top.

Pobwch ar dymheredd o 180°C / Ffan 160°C / Nwy 4 am 25–30 munud. Gadewch iddyn nhw oeri ar rwyll oeri, cyn defnyddio cyllell i'w tynnu o'r tun yn ofalus.

Mae'n bosib rhewi'r rhain ar ôl eu coginio, felly gwnewch ddwywaith gymaint ag sydd eu hangen arnoch, digon i bara nes diwrnod 'Dolig. Gadewch iddyn nhw ddadrewi ar dymheredd ystafell am ychydig oriau, neu eu cynhesu yn y popty ar dymheredd cymedrol am 5-10 munud.

Roulade siocled

Does yna neb yn ein teulu ni'n rhy hoff o bwdin 'Dolig. Mae'n llawer rhy gyfoethog a thrwm ar ôl pryd mor fawr yn fy marn i. Mae *roulade* siocled yn llawer ysgafnach, ond mae'r gwirod yn yr hufen yn rhoi cic fach Nadoligaidd iddo. Gan nad oes blawd yn y rysáit hon, mae'n golygu ei bod yn rhydd o glwten hefyd. Nid pwdin ar gyfer y Nadolig yn unig mo hwn; mae'n berffaith ar gyfer unrhyw achlysur.

150g o siocled tywyll, o leiaf 70% coco

6 wy wedi'u gwahanu

150g o siwgr mân

1 llwy fwrdd o bowdr coco

300ml o hufen dwbl

2 lwy fwrdd o siwgr eisin

1 llwy fwrdd o frandi, neu wirod arall o'ch dewis chi

Ychydig o ffrwythau ffres fel mefus a mafon

Os nad ydych chi'n licio brandi, beth am ychwanegu ychydig o Baileys neu Cointreau i'r hufen?

Cynheswch y popty i 180°C / Ffan 160°C / Nwy 4, iro tun Swis-rôl a'i leinio â phapur gwrthsaim.

Torrwch y siocled yn ddarnau mân a'u toddi mewn powlen sydd wedi'i gosod dros sosban o ddŵr sy'n mudferwi (gwnewch yn siŵr nad yw'r bowlen yn cyffwrdd â'r dŵr o gwbl). Tynnwch y bowlen oddi ar y gwres a gadael i'r siocled oeri.

Rhowch y 6 gwynnwy mewn powlen a'u chwisgio nes eu bod yn stiff ond ddim yn sych yr olwg. Rhowch y 6 melynwy mewn powlen arall gyda'r siwgr a chwisgio am 2–3 munud nes bod y cyfan yn olau ac yn edrych fel hufen trwchus.

Ar ôl i'r siocled oeri rhywfaint, ychwanegwch at y melynwy a'r siwgr a phlygu'n ofalus â llwy fetel neu *spatula* nes eu bod wedi cymysgu'n llwyr.

Yna, gan ddefnyddio llwy fetel fawr, ychwanegwch ddau lond llwyaid o'r gwynnwy at y gymysgedd siocled. Mae hyn yn llacio'r gymysgedd ac yn ei gwneud hi'n haws i gymysgu gweddill y gwynnwy heb golli'r holl aer.

Ychwanegwch weddill y gwynnwy a'i blygu'n ofalus, gan drio peidio â gorgymysgu. Yna hidlwch y powdr coco dros y cyfan a'i blygu i mewn eto â llwy.

Tywalltwch y gymysgedd i'r tun, gan ei gwthio'n ofalus i'r corneli.

Pobwch am 20–25 munud nes bod y sbwnj wedi brownio ac yn teimlo'n eithaf cadarn wrth ei gyffwrdd. Gadewch iddo oeri yn y tun (fe fydd y sbwnj yn disgyn rhywfaint wrth iddo oeri, ac efallai y bydd y top yn cracio ychydig, ond mae hyn yn iawn).

Chwisgiwch yr hufen am ychydig funudau, cyn ychwanegu'r siwgr eisin a'r brandi. Parhewch i chwisgio nes ei fod yn drwchus.

Rhowch ddarn o bapur gwrthsaim sydd ychydig yn fwy na maint y tun ar y bwrdd a thaenu ychydig o siwgr eisin ar ei ben. Yna, â'r sbwnj yn dal yn y tun, trowch y cyfan ben i waered ar y papur ar y bwrdd, a thynnu'r tun i ffwrdd. Yna, yn ofalus, tynnwch y papur gwrthsaim sy'n sownd i'r sbwnj i ffwrdd.

Taenwch yr hufen ar ben y sbwnj, gan adael gofod o 2cm yr holl ffordd o gwmpas yr ochr. Gwasgarwch y ffrwythau ar ben yr hufen.

Nawr mae'n amser rolio! Ag un o'r ochrau byrraf yn eich wynebu chi, torrwch linell â chyllell finiog ryw 2cm o'r pen, gan sicrhau mai dim ond hanner ffordd trwy'r sbwnj yr ydych yn torri. Bydd hyn yn eich helpu i ddechrau rholio.

Yna rholiwch y darn yma drosodd yn ofalus. Defnyddiwch y papur a osodwyd o dan y gacen i'ch helpu i rolio gweddill y *roulade* yn dynn, trwy ei dynnu oddi wrthych tra eich bod yn rholio.

Peidiwch â phoeni os yw'r *roulade* yn cracio. Mae hynny'n eithaf cyffredin ac yn ychwanegu at edrychiad terfynol y pwdin yn fy marn i.

Gweinwch ag ychydig o siwgr eisin neu bowdr coco am ei ben.

Bisgedi Nadolig

Fe fydd y sbeis yn y bisgedi hyn yn llenwi'r lle ag arogl y Nadolig wrth eu coginio. Maen nhw'n berffaith i'w cadw yn y tŷ rhag ofn bod rhywun yn galw dros yr ŵyl. Maen nhw hefyd yn gwneud anrheg hyfryd wedi'u lapio mewn bag bach a'u clymu â rhuban. Neu beth am eu defnyddio fel addurniadau i'r goeden drwy wneud twll yn y top cyn eu coginio a bwydo rhuban trwyddyn nhw ar ôl eu haddurno?

100g o fenyn
100g o siwgr brown
1 wy
200g o flawd plaen
1 llwy de o sbeis cymysg

Ar gyfer yr eisin
1 gwynwy
½ llwy de o sudd lemon
200g o siwgr eisin

Cynheswch y popty i 180°C / Ffan 160°C / Nwy 4 a leinio dau dun pobi â phapur gwrthsaim.

Curwch y menyn a'r siwgr am ychydig funudau â chwisg drydan nes ei fod yn ysgafn, yna ychwanegu'r wy a'i guro nes ei fod wedi cymysgu'n drwyadl. Hidlwch y blawd a'r sbeis a'u plygu i mewn i'r gymysgedd. Yna, â'ch dwylo, tylinwch y toes am ryw funud nes ei fod yn glynu at ei gilydd mewn pelen ac yn llyfn.

Ysgeintiwch ychydig o flawd ar y bwrdd a rholio'r toes nes ei fod yn 5mm o drwch. Torrwch y toes â thorwyr toes Nadoligaidd a rhoi'r siapiau ar y tun pobi.

Os ydych chi'n bwriadu eu hongian ar y goeden, yna mae angen gwneud twll ar dop yr addurn. Defnyddiwch weillen fwyta (*chopstick*) neu sgiwer i wneud hyn a chofio bod angen gwneud y twll ychydig yn fwy na'r disgwyl gan y bydd yn cau rhywfaint wrth i'r fisged goginio.

Gwnewch yn siŵr eich bod yn gadael digon o le rhwng pob un gan y byddan nhw'n lledaenu rhywfaint. Pobwch am 8–10 munud neu nes eu bod nhw'n dechrau brownio ar yr ochrau. Rhowch ar rwyll fetel i oeri.

Er mwyn gwneud yr eisin, chwisgiwch y gwynwy nes ei fod yn ewynnog, cyn ychwanegu'r sudd lemon a chymysgu. Yna ychwanegwch y siwgr eisin yn raddol, a chwisgio nes ei fod yn weddol drwchus. Mae angen i'r eisin fod yn ddigon trwchus i beidio â rhedeg, ond yn ddigon tenau i'w beipio.

Rhowch yr eisin mewn bag eisio bach, torri twll yn y gwaelod (os oes angen) a pheipio addurn ar eich bisgedi. Gallwch hefyd ychwanegu peli arian, neu mae *glitter* bwytadwy yn edrych yn neis hefyd, gan ei bod hi'n 'Ddolig.

Hufen iâ pwdin 'Dolig

Er nad ydw i'n hoff iawn o bwdin 'Dolig, mae'r hufen iâ hwn yn eithriad. Mae'n ffordd wych o ddefnyddio unrhyw bwdin 'Dolig sy'n weddill, neu o'i wneud o flaen llaw gallwch ei fwyta ar y dydd yn lle pwdin 'Dolig. A'r peth gorau am yr hufen iâ hwn yw nad oes angen peiriant hufen iâ. Dim ond un rhybudd bach, mae'r rysáit yn cynnwys wyau amrwd felly dydy o ddim yn addas i ferched beichiog.

2 wy

3 melynwy

110g o siwgr brown

300ml o hufen dwbl

½ llwy de o rin fanila

½ llwy de o sbeis cymysg

1 llwy fwrdd o cognac

150g o bwdin 'Dolig

Chwisgiwch yr wyau, y melynwy a'r siwgr am ryw 5 munud, nes bod y gymysgedd yn ysgafn, yn olau ac wedi dyblu mewn maint.

Ychwanegwch y sbeis, y fanila a'r cognac a chymysgu'r cyfan yn dda.

Mewn powlen arall chwisgiwch yr hufen am ryw 2 funud nes ei fod yn drwchus a'i blygu i mewn i'r wyau a'r siwgr â llwy fetel neu *spatula*. Rhowch mewn bocs plastig â chaead a'i roi yn y rhewgell i setio.

Ar ôl 2 awr, pan fydd yr hufen iâ wedi dechrau setio, ychwanegwch y pwdin 'Dolig a chymysgu. Rhowch yn ôl yn y rhewgell i setio'n llwyr.

Yn wahanol i hufen iâ cartref arall, fe fydd yr hufen iâ hwn yn ddigon meddal i'w weini'n syth o'r rhewgell.

Am restr gyflawn o lyfrau'r Lolfa, mynnwch
gopi am ddim o'n catalog
neu hwyliwch i mewn i'n gwefan

www.ylolfa.com

lle gallwch archebu llyfrau ar-lein.

TALYBONT CEREDIGION CYMRU SY24 5HE
ebost ylolfa@ylolfa.com
gwefan www.ylolfa.com
ffôn 01970 832 304
ffacs 832 782